12, avenue d'Italie — Paris XIIIe

Du même auteur
aux Éditions 10/18

LE MASQUE
DE MORT

PAR

ELLIS PETERS

Traduit de l'anglais
par Marcel HENRY

Postface de Claude Mesplède

« Grands Détectives »
dirigé par Jean-Claude Zylberstein

ÉDITIONS DU ROCHER

Titre original :
Death Mask

Une première édition de ce livre est parue aux éditions Dupuis
(collection « Mi-nuit ») en 1967.

© Ellis Peters, 1959.
© Éditions du Rocher, 2003,
pour la traduction révisée et complétée.
ISBN 2-264-03983-3

I

Je déambulais dans une petite rue de Bloomsbury tout en tripotant les dernières pièces de monnaie qui traînaient au fond de la poche de mon pantalon. J'allais être obligé de demander asile à ma tante Caroline.

J'étais justement en train de me dire que la vieille fille aimerait peut-être mieux me prêter un peu d'argent pour que je loge ailleurs plutôt que de me céder sa chambre d'amis lorsqu'une petite foule se déversa sur mon chemin – une conférence venait sans doute de s'achever dans une salle de ce bâtiment. Parmi tous les crânes chauves, les barbes tremblotantes, les étudiants mal fagotés apparut soudain cette femme improbable.

Je m'arrêtai, pour le simple plaisir d'admirer sa démarche tandis qu'elle descendait majestueusement l'escalier de l'entrée. Elle se tenait très droite, sa tête se balançant comme une fleur sur sa tige ; ses pas étaient longs, souples et résolus ; son regard paraissait se fixer un peu au-dessus de tout ce qui croisait son chemin, comme si elle contemplait des choses lointaines, étrangères au moment présent. Tous ses actes devaient revêtir une signification cachée quelque part en deçà et au-delà de la compréhension des autres mortels.

Ses vêtements étaient d'un raffinement sophistiqué. La coupe en était très austère, deux ou trois pièces d'un tissu somptueux sur son corps élancé. Et, bien entendu, le chapeau, une immense capeline agrémentée de tulle. Elle ne le portait pas droit, malgré la mode actuelle – à en juger par ceux que j'avais vus autour de moi durant ces quelques heures passées à Londres –, elle l'avait incliné un peu en avant sur ses sourcils, ce qui m'empêcha de distinguer les traits de son visage. Mais tout ce que je pouvais voir de cette femme aurait été bien plus à sa place dans un cocktail donné par un styliste en vogue qu'ici, à quelques centaines de mètres du British Museum, assistant à une conférence intitulée – je fis quelques pas en arrière pour jeter un œil sur la pancarte au pied de l'escalier – « Nouvelles lumières sur les origines de la culture mycénienne », par le professeur J. Barclay.

Je restai à l'observer, appuyé au mur d'une maison. Je n'étais apparemment pas le seul : quelques têtes chenues se retournèrent, quelques arides discussions s'éteignirent pour laisser place à un silence avide tandis qu'elle descendait les marches à pas comptés et s'immobilisait, hésitante, triturant la lanière de son sac à main de ses doigts gantés. Ses gestes étaient empreints d'une curieuse gaucherie. Elle était d'abord sortie avec fougue, puis s'était arrêtée ; elle eut un moment de flottement et fit encore quelques pas rapides avant de se retourner vers l'entrée de la salle. Cette femme n'était pas faite pour l'irrésolution : l'hésitation lui était visiblement une souffrance.

Je n'étais pas pressé : dans mon désœuvrement, je n'avais guère de choses auxquelles penser, excepté l'endroit où j'allais dormir ce soir-là et l'emploi que j'allais devoir trouver à brève échéance ; mais j'avoue que je n'avais guère envie de me préoccuper de ces problèmes. Je préférais largement rester là à faire des spéculations idiotes au sujet de cette femme. Quel besoin pouvait-elle avoir de nouvelles lumières sur les origines de la culture mycénienne ? Serait-elle, par quelque miracle, aussi intelligente qu'elle semblait belle et élégante ? Cherchait-elle en venant ici à fuir un autre rendez-vous ? Ou bien n'était-elle pas tout simplement l'épouse loyale et dévouée du professeur Barclay, obligée d'abandonner ses occupations pour assister à cette conférence ? Mais dans ce cas, pourquoi serait-elle en train de traînailler devant la salle ? Elle devrait être à ses côtés, l'épaulant tandis qu'il recevait les congratulations de ses admirateurs ou essuyait les flèches de ses contradicteurs. Dans tous les cas, qu'attendait-elle ? La foule se dispersait déjà le long des rues de Bloomsbury, laissant flotter dans son sillage une rumeur de conversations érudites. Quelques personnes seulement demeuraient sur le trottoir, mettant un point final à leur argumentation ou se souhaitant bonne nuit.

La plupart des gens qui rôdent dans les rues à la tombée de la nuit, attendant on ne sait quoi, même si leur comportement nous semble curieusement évocateur, voire inquiétant, ont en général des raisons tout à fait inoffensives de se comporter ainsi. En les croisant, on ne peut toutefois s'empêcher de ressentir une émotion soudaine, conscient que cette rencontre pourrait faire rebondir notre existence dans une direction inattendue, nous précipitant dans l'inconnu. Cette silhouette-là, immobile et silencieuse, se tenait dans l'ombre d'un porche, une trentaine de mètres à ma droite. S'il n'avait pas fait un mouvement au passage d'une voiture, je n'aurais pas su qu'un homme se trouvait là. La manière dont il restait en retrait ouvrait de nouvelles perspectives à mes spéculations.

Pour être franc, ma vie aurait bien eu besoin de prendre une nouvelle orientation ; mais je n'étais plus assez jeune pour être excité à l'idée de tels bouleversements.

Un homme d'âge mûr sortit de la salle, souhaita le bonsoir par-dessus son épaule et descendit les marches. Était-ce le professeur J. Barclay ? À en juger par son apparence, on aurait plutôt eu envie de l'appeler le général Barclay. Je détaillai sa moustache taillée, ses pommettes hautes et saillantes, son front large et ses sourcils grisonnants. Il ne traversa pas la route vers une des voitures stationnées là, ne se mit pas non plus en quête d'un taxi, mais prit le trottoir à gauche et s'éloigna d'un pas rapide. La femme n'avait fait aucun mouvement pour l'arrêter. Elle lui avait jeté un regard lorsqu'il était apparu en haut des marches et avait semblé hésiter à l'approcher ; mais, à la place, elle avait reculé en baissant la tête, un mouvement de résignation qui était comme un soupir. Il était passé devant elle sans lui jeter un regard.

La femme avait à présent décidé de partir, elle aussi. Elle se retourna lentement dans ma direction ; au même moment, de l'autre côté de la rue, le guetteur immobile se mit en marche vers nous. Tout semblait soudain se charger d'une secrète signification, comme si je tenais dans le creux de ma main trois indices pour une chasse au trésor. La porte de la maison ne s'était pas ouverte ; aucune lumière n'était apparue. L'homme avait simplement émergé de l'ombre du porche pour remonter la rue d'un pas égal, ni pressé ni furtif. Il était très grand, sa silhouette mince revêtue d'un léger imperméable. Il traversa la rue ; dans quelques secondes, il passerait devant moi. Et quelques mètres plus loin, d'une manière ou d'une autre, il croiserait la femme.

Elle leva la tête et, pour la première fois, j'aperçus son visage : un souvenir encore douloureux remonta alors dans mon esprit ; je réalisai combien elle ressemblait à Dorothy. C'est alors que ce visage fut éclairé par la lueur d'un lampadaire et que je la vis vraiment : c'était Dorothy !

Je ne l'avais plus vue depuis dix-sept ans, depuis le jour où, lui ayant demandé de m'épouser, elle avait refusé. Il y avait peu de ressemblance extérieure entre cette femme remarquablement élégante de… voyons, cela devait faire trente-cinq ans, et la jeune créature enthousiaste de dix-huit ans, d'une distinction innée, pareille à celle d'un lévrier sauvage. Ses sourcils hauts, bien dessinés, lui donnaient cette expression légèrement étonnée qu'elle avait conservée de son extrême jeunesse, comme si le monde n'avait jamais cessé de la surprendre. L'inclinaison du chapeau et le port de la tête accentuaient le sentiment d'incrédulité que trahissait son visage ; elle eut un mouvement de recul, comme pour mieux s'assurer qu'elle n'était pas le jouet d'une illusion.

« Elle ne me reconnaîtra certainement pas, me dis-je, plus heureux de la revoir que je ne le pensais. Et même si c'était le cas, elle ne devrait pas être particulièrement contente de me rencontrer. Pourquoi, d'ailleurs ? Nous n'aurions rien à nous dire après dix-sept ans. »

– Evelyn ! s'écria Dorothy, de sa voix gaie et insouciante, prenant à témoin de sa surprise et de sa joie la moitié de Bloomsbury.

Toujours aussi impétueuse, elle fondit sur moi en ouvrant les bras, laissant échapper son livre qui tomba sur le pavé humide.

Nous fûmes deux à nous pencher au même instant. L'homme s'était arrêté dans sa foulée ; une grande main maigre s'était tendue vers le livre, le poignet barré d'une longue cicatrice. Je regardai de près son visage taillé à coups de serpe, le bec de faucon qui lui tenait lieu de nez ; ses petits yeux noirs me renvoyèrent un regard impénétrable. Il fit un mince sourire, se retira courtoisement et jeta à Dorothy un regard appuyé avant de reprendre sa marche sans plus attendre.

Je l'oubliai avant même qu'il ait disparu au coin de la rue. Que faire d'autre, alors que je me retrouvais pour la première fois depuis tout ce temps face à face avec Dorothy ?

– Evelyn ! Je te croyais à des milliers de kilomètres, dans le golfe Persique, ou je ne sais où. Comme je suis contente de te voir ! Pourquoi ne m'as-tu jamais écrit ? Tu es encore fâché ?

Je suppose que Dorothy est à part : peu de femmes poseraient cette question à un homme qu'elles n'ont plus revu depuis dix-sept ans, tout simplement parce que leur dernière entrevue s'était terminée sur leur refus à une demande en mariage. Et plus probablement encore, aucune, sauf Dorothy, ne l'aborderait en pensant qu'il lui fait encore la tête – touchant de près la vérité.

– Ne dis pas de bêtises !

En plus d'être un faux-fuyant, sinon un mensonge flagrant, ce n'était pas du tout ce que j'avais voulu dire. Je lui en voulais encore de son refus et ne m'en rendais compte qu'en la revoyant : dix-sept années envolées comme des feuilles mortes dans le vent !

– Nous ne nous sommes jamais écrit… Comment vas-tu, Dorothy ? Je te trouve magnifique.

– Je ne me sentais pas du tout magnifique jusqu'à maintenant. Evelyn, tu n'es vraiment pas fâché ? Tu as l'air de mauvaise humeur. Tu es bien sûr que ce n'est pas à cause de moi ?

– Ce n'est pas à cause de toi, la rassurai-je. Aucune rencontre n'aurait pu me faire plus plaisir.

Elle inclina la tête en arrière pour me regarder longuement, avec gravité, dans l'ombre de son énorme chapeau, et je fus de nouveau sous le charme de ses grands yeux, sombres comme des violettes, et la grâce de la longue ligne oblique et pure de ses pommettes. Elle avait toujours son allure extrêmement aristocratique, mais ses yeux et sa bouche témoignaient de sa bonté et de sa vivacité, non d'une froideur patricienne.

– N'espère pas te défiler avec quelques mots de politesse ; je veux que tu me dises tout. Consacre-moi ta soirée ! À moins que tu n'aies déjà un rendez-vous ?

Je ne suis à Londres que depuis trois heures, et je ne connais pas âme qui vive ici, à part les gens de ma compagnie.

J'essuyai les taches humides sur son livre et le lui tendis : elle le prit comme si elle ne l'avait jamais vu, gloussa et le replaça sous son bras.

– En fait, je n'y comprends absolument rien : c'est écrit dans un tel jargon ! Bruce était assez facile à suivre mais ce n'était pas un spécialiste, alors que ce professeur est *le* spécialiste... Mais je ne t'ai pas demandé combien de temps tu resteras en Angleterre, Evelyn. Tu es en congé, je suppose ?

– Non, pas en congé... je suis sur le pavé.

Dorothy se retourna, le visage consterné.

– Evelyn ! Comment ont-ils pu être si ingrats ! Après tout ce que tu as fait pour la compagnie...

– La compagnie aussi a été congédiée. Tu ne le savais pas ? L'industrie pétrolière locale a été nationalisée. Nous avons tous dû faire nos valises.

– Mais quelle stupidité ! Le sultanat va perdre tous ses revenus… Quel malheur pour toi ! s'écria-t-elle avec chaleur. Je suis vraiment désolée. Alors tu es sans travail ? Absolument libre ?

C'était une sorte de liberté dont je devrais me passer très vite, mais je gardai pour moi cette impression.

– Oh ! Ne te bile pas. J'en avais assez. Je suis heureux de rentrer. Et puis, personne ne regrettera le sultan. Il sera moins dangereux sur la Riviera et y fera marcher le commerce. Dans son pays, il n'était pas bon à grand-chose.

– Mais la compagnie va te trouver un autre poste, je suppose ?

– La compagnie ne voit pas les choses sous cet angle. Les temps sont durs ; ils nous ont congédiés avec un mois de traitement pour toute indemnité.

Inutile de lui révéler que je m'étais mis en colère, que j'avais expliqué au chef du personnel ce que les directeurs pouvaient faire avec leur mois de salaire, et qu'après cela j'étais parti sans l'accepter. C'est le genre de choses que l'on regrette ensuite, lorsqu'on en est réduit à compter ses derniers shillings, mais qu'on refuse de s'avouer.

– Alors tu parlais sérieusement, quand tu disais être sur le pavé ?

– Oui, bien sûr. Pourquoi ?

– Emmène-moi au restaurant, et je te répondrai.

– J'en serais ravi, mais au point où j'en suis, c'est toi qui devras m'inviter.

– Tu veux dire que tu es fauché ? s'exclama-t-elle, les yeux dilatés de surprise. Evelyn, pourquoi ne me l'as-tu pas dit ?

Elle me parut aussi exaspérée et outragée qu'elle l'avait été vingt ans auparavant, lorsqu'on lui avait appris que j'avais de gros problèmes et que je ne lui en avais pas parlé. Dorothy était toujours prête à donner la moitié de ce qu'elle avait pour venir en aide à un ami dans le besoin. Nul ne le savait mieux que moi. Nous avions grandi très proches l'un de l'autre et étions devenus de vrais amis lorsqu'elle avait six ans et moi sept ; c'était peut-être pour cela qu'elle n'avait jamais pu me considérer comme un mari possible. Nous étions trop proches pour qu'elle puisse me voir sous cet angle.

– Allons quelque part où nous pourrons causer.

Nous reprîmes notre marche. Dorothy passa son bras au creux du mien en respirant profondément, et son beau visage pur et fatigué abandonna son sourire de commande.

– Evelyn, je suis veuve à présent. Le savais-tu ?...

– Est-ce une proposition ? demandai-je, intéressé.

Cela m'avait échappé avant que je ne m'en sois rendu compte. Une seule fois dans ma vie, j'avais pensé à ce que j'allais dire à Dorothy, mais cela n'avait pas donné de meilleurs résultats.

– Après notre dernier fiasco ? Quelle idée ! Enfin, j'ai une proposition à faire, mais d'un ordre strictement pratique. Non, ce n'est pas cela non plus, dit-elle en se contredisant étourdiment. En fait, j'ai besoin d'aide... de ton aide. J'ai toujours pu compter sur toi et je ne pense pas que tu aies changé tellement... moi non plus. Quand je suis avec toi, j'ai l'impression que nous nous entendons comme par le passé. Tu vois ce que je veux dire ?

Je savais ce qu'elle voulait dire.

– Savais-tu que Bruce était mort ?

– J'ai lu la nouvelle dans les journaux, il y a trois mois. Il a été tué par un éboulement en faisant des fouilles en Grèce, c'est cela ? Je suis désolé. Je sais que tu éprouvais une certaine affection pour lui, même si…

– Même si nous ne pouvions plus vivre ensemble.

Elle m'adressa un bref regard, puis détourna les yeux. Je savais qu'elle revivait avec autant de précision que moi cette journée de 1941 où, rentré précipitamment chez moi lors de ma première permission et ridiculement conscient de mon nouvel uniforme, j'étais prêt à l'action, pénétré d'héroïsme et d'esprit de sacrifice. J'avais à peine pris le temps d'embrasser ma mère avant de sauter le mur qui séparait notre jardin de celui du docteur et d'aller chercher Dorothy. Le soir même, dans l'obscurité d'encre du black-out, si étrangement favorable aux amoureux, je lui avais demandé de m'épouser. Quelles paroles avais-je prononcées ? Dieu merci, je ne pouvais me le rappeler précisément. L'éloquence n'avait jamais été mon fort, et la situation n'avait probablement rien arrangé. De toute façon, les mots avaient peu d'importance. Je courais droit à l'échec.

Dorothy avait ri. En me remémorant ce moment affreux, je me rendais compte que ce rire n'était qu'un réflexe d'étonnement ; elle avait ri parce que le sol s'était dérobé sous ses pieds, la laissant désemparée. J'avais toujours été à ses côtés, comme un frère, dans toutes les circonstances où notre imagination d'enfants nous avait entraînés.

Les frères et les sœurs sont bien souvent des rivaux, mais rien n'avait jamais pu ternir notre amitié. Si je m'étais donné la peine de réfléchir, d'attendre jusqu'à ma prochaine permission, tout aurait pu changer. Avec le temps, elle se serait rendu compte que nous étions autre chose que frère et sœur, des sentiments auraient pu s'éveiller en elle, l'entraînant dans la joie de cette découverte. Mais profondément vexé et bouleversé, ne sachant plus ce que je faisais, je la suppliai de me répondre. Ce fut un non catégorique, indigné, offensé, comme s'il s'était agi d'un inceste – elle s'était écartée de moi et s'était enfuie chez elle. Cela m'avait humilié et chagriné au-delà de toute expression et fort probablement en avait-elle souffert autant que moi. Je ne fis rien pour la rejoindre ; je ne voulais plus la revoir ni entendre parler d'elle ; mais cela m'empêcha par la suite de m'attacher à une autre femme.

Une situation de ce genre est aussi délicate et ardue que le mariage lui-même. Il n'y avait rien d'étonnant à ce que j'aie fait un tel gâchis à dix-neuf ans, alors qu'elle n'avait pour moi qu'une sincère affection.

Pendant ma deuxième permission, je m'étais même efforcé d'éviter de regarder sa maison, et ce n'est qu'à la fin de mon congé que j'appris que je m'étais donné de la peine pour rien : elle s'était engagée comme infirmière et était partie pour Londres. Six mois plus tard, elle épousait Bruce Almond, qui était riche, mais assez vieux pour être son père ; dans mon désarroi, j'aimais croire que c'étaient là les raisons qui l'avaient poussée à devenir sa femme. Mais au fond, je savais que je me leurrais. C'était un grand voyageur et un homme plein d'expérience, doté d'une personnalité charismatique. Malgré ses allures excentriques, il devait être très agréable à vivre.

À l'époque, il réalisait des travaux de géopolitique pour le gouvernement, car il connaissait tout le Moyen-Orient comme la paume de sa main, ayant participé avant la guerre à des expéditions archéologiques, pour lesquelles il nourrissait une vraie passion ; oui, passion était le mot juste. De l'avis de tous, il était aussi savant dans cette branche que Schliemann, mais n'avait pas bénéficié de la même chance fabuleuse ; il était célèbre aux yeux du grand public et une sommité parmi les gens cultivés et les archéologues professionnels.

– Bruce était épatant, s'exclama Dorothy comme si elle avait suivi le cours de mes pensées, mais en même temps, quel être impossible ! J'étais follement amoureuse de lui, Evelyn. Il était si différent de tous les hommes que j'avais connus, ses attentions étaient si charmantes que vivre avec lui était une partie de plaisir. C'était un vrai savant aussi… jusqu'à un certain point. Son caractère était tellement impétueux qu'il pouvait tout gâcher : tout ce qui ne cadrait pas avec ses idées, il le glissait sous le tapis quand il croyait qu'on ne le regardait pas. Complètement irresponsable. Après notre mariage, je n'ai pas eu trop de mal à le supporter parce que nous ne nous voyions que de temps en temps, pendant de brèves périodes, et même son enfantine malhonnêteté intellectuelle, prise à faibles doses, me faisait l'effet d'une plaisanterie et me donnait l'impression d'être en vacances. Et puis j'ai eu un bébé… Mais après la guerre, quand nous avons dû vivre tout le temps ensemble, c'est devenu impossible.

« J'ai soudain eu l'impression d'avoir deux bébés sur les bras. Je ne pouvais pas continuer à raconter des contes de fées et prétendre y croire toujours ; avec Crispin, je savais que cela ne pouvait durer : il était comme moi. Il commençait à me poser des questions sur tout, à me demander pourquoi ceci, pourquoi cela, à me faire des objections logiques jusqu'à ce que je doive lui dire la vérité ; mais avec Bruce, cela risquait de s'éterniser. Jusqu'au dernier jour, je l'ai considéré comme un être charmant et bon ; je l'aimais. Mais l'avoir toujours à mes côtés me rendait folle, sans compter que *lui* aussi se sentait devenir chèvre de vivre avec moi. Il voyait bien sur mes lèvres un sourire perpétuellement narquois qui gâchait ses meilleurs effets, même lorsque je faisais de mon mieux pour ressembler à un ange. Il n'était ni un menteur, ni un simulateur, mais un homme pénétré de ce qu'il disait ; et je ne pouvais sans cesse prétendre être convaincue lorsque je ne l'étais pas. Chaque fois que j'essayais, je me faisais l'effet d'être une menteuse et une sotte, alors je me suis lassée de ce jeu. Je ne pouvais pas continuer, tu comprends ?

– Oui, dis-je. (J'aurais voulu stopper net ses confidences, mais je craignais de la désobliger.) Cela ne pouvait continuer. Dis-moi, tu m'emmènes quelque part ou est-ce moi qui dois choisir ? Il y a un petit restaurant au coin de cette rue ; du moins, il y était encore avant que je ne parte…

D'un air distrait, elle me dit que n'importe quel endroit lui conviendrait ; elle ne voulait pas s'arracher aux souvenirs. Je la conduisis à ce petit restaurant. La décoration n'avait même pas changé. Nous prîmes place dans le coin le plus tranquille. Elle oublia ses griefs et ses regrets, le temps de me dire d'un ton ferme :

– C'est moi qui t'invite, ne l'oublie pas.

Puis, croisant les mains sous son menton, elle reprit le cours de son récit, qu'elle voulait me faire entendre et comprendre, pour je ne sais quelle raison.

– Quand nous nous sommes séparés, fin 1945, j'ai senti que j'étais seule fautive. Je devais me libérer de lui, mais ne voulais pas faire valoir ses torts. J'étais partisane de l'égalité des sexes et ne voyais pas pourquoi il aurait dû endosser la responsabilité d'une faute que j'estimais être mienne. C'est pourquoi j'ai fait quelque chose d'absolument stupide. Je savais qu'il aspirait à retrouver sa liberté aussi bien que moi et j'étais persuadée qu'il sauterait sur l'occasion si je la lui donnais. Alors je… je me suis affichée partout avec un autre homme. Son nom importe peu ; il était aimable, attentionné, c'était un grand ami, et puis, de toute façon, il est mort maintenant… il s'est tué en escaladant une montagne quelque part en Autriche, il y a deux ans. Je n'en étais pas amoureuse, et la réciproque était vraie, je crois, sans cela je ne lui aurais pas demandé ce service. Nous avons passé un week-end à l'hôtel en bord de mer et avons donné à Bruce des raisons de divorcer. Je lui ai apporté les preuves et lui ai demandé d'engager la procédure, en l'assurant que je ne me défendrais pas.

« Et sais-tu ce qui est arrivé ?… Bruce était contre le divorce ! Oh, il était sincère ! Ses convictions religieuses l'obligeaient à me garder pour le meilleur comme pour le pire. Il convenait que les choses avaient tourné au pire pour nous deux, mais, même si nous étions forcés de vivre loin l'un de l'autre, nous n'en étions pas moins mariés pour toujours. Je dois dire qu'il s'est montré très généreux dans ses dispositions à mon égard ; il a promis de nous léguer, à Crispin et à moi, tout ce qu'il possédait. Toutefois, comme j'avais admis m'être mal conduite, il mettait une condition à notre arrangement : il garderait notre fils.

– Bref, tu t'étais mise à sa merci ; il pouvait te dicter ses volontés.

– Oui, parce que, si je refusais un arrangement à l'amiable, comme il le désirait, il pouvait porter l'affaire devant les tribunaux : dans ce cas, il n'y avait aucun doute, Crispin serait confié à celui qui était dans son droit. En fin de compte, le résultat aurait été le même, sauf que ma réputation aurait été salie. Mais, Evelyn, comprends bien, ce n'est pas le dépit qui l'a fait agir ainsi ; mets-toi bien ça en tête. Au fond, Bruce était un puritain. Ma conduite l'avait profondément scandalisé, et il se sentait le devoir de m'empêcher à tout prix de corrompre Crispin. Et il s'est montré si généreux pour tout le reste… ou, enfin, il l'aurait été si je l'avais laissé faire ; mais je n'ai pas voulu de son argent. Ce n'était pas du dépit non plus, du moins pas après les premiers mois. Il a versé régulièrement une pension alimentaire sur un compte à mon nom. Cet argent est toujours là. Je ne lui en ai pas voulu longtemps, mais je ne pouvais me résoudre à vivre aux crochets d'un homme avec lequel j'avais cessé de vivre.

– C'est donc ainsi que tu as perdu l'enfant, dis-je.

D'après certaines rumeurs qui m'étaient parvenues, elle avait troqué tous ses sentiments maternels contre un arrangement financier, ce qui ne m'avait jamais paru possible de sa part. Mais les rumeurs ne sont jamais charitables.

– Voilà comment ça s'est passé. Et le plus beau de l'histoire, mon cher Evelyn, c'est qu'il ne s'est rien passé dans cet hôtel, absolument rien ! Tony m'a embrassée en me souhaitant une bonne nuit, puis s'est couché sur le canapé. J'ai bien mentionné les faits, seulement ils ne prouvaient rien, puisqu'il n'y avait rien à prouver ; néanmoins les indices étaient trop flagrants pour me permettre de revenir sur mon histoire. Il m'était impossible de nier. J'ai accepté les termes de Bruce. Que pouvais-je faire d'autre ? Il a fermé la maison et est parti pour l'étranger, en emmenant Crispin. Alors je me suis remise au violon, parce qu'il fallait que je fasse quelque chose pour vivre… et que je vive pour quelque chose.

Elle me regarda soudain par-dessus son verre de vin avec un sourire en coin, les yeux perdus dans ses souvenirs. J'étais heureux qu'elle ait pu me parler si franchement, avec si peu de réserve, alors que nous venions juste de nous retrouver.

– Tu te rappelles que nous mettions un disque de Heifetz pour faire plaisir à maman, pendant que nous sautions le mur du fond pour courir dans les bois ? Pauvre maman, quelle chance pour moi qu'elle ait eu l'oreille si peu musicale ! Personne d'autre n'aurait pu me confondre avec Heifetz. Naturellement, on découvrait toujours notre ruse, une fois le disque terminé ; et malgré cela, elle se laissait toujours prendre la fois suivante. Quel malheur que nous n'ayons pas eu de changeur automatique sur le vieux pick-up, en ce temps-là !

– Toutes ces études que tu as manquées ne t'ont quand même pas empêchée de devenir une virtuose, dis-je. Même dans le sultanat, j'ai entendu parler de ton succès.

– Il fallait que j'aie du succès. Rien qu'un, après le plus grand échec du monde. J'imagine que Bruce a réagi de la même façon lui aussi. C'est pourquoi il s'est plongé dans les entrailles de l'Asie Mineure avec plus d'énergie que jamais. Il n'a rien trouvé de bien intéressant, mais s'y est bien amusé et n'a pas fait beaucoup de dégâts. C'étaient ses théories qui étaient peu orthodoxes et non sa manière de faire des fouilles. Et puis, pense donc à la merveilleuse vie que Crispin a eue : trimbalé en Mésopotamie, en Perse et en Grèce avec Bruce, un compagnon délicieux, bien plus vieux que lui et pourtant à peine un adulte. Quand il y avait une école pas trop éloignée, il y suivait les cours, mais la plupart du temps, Bruce se chargeait de son éducation, ce qui revient à dire qu'il a appris le grec presque aussi bien que l'anglais. Il faisait ce qui lui plaisait, vivait selon son désir, se conduisait comme un enfant quand ça lui chantait, comme un homme s'il en avait envie. Ce n'est pas étonnant qu'il ait adoré Bruce. N'importe quel garçon en aurait fait autant.

– Il est avec toi maintenant, je suppose ?

J'avais compté les années qu'elle avait passées loin de lui et lui donnais seize ans.

– Tu m'as dit que tu ne venais pas à Londres très souvent. Où habites-tu ?

– Dans la maison de Bruce, dans le Somerset ; le village s'appelle Chilcot Mendip. Il m'a laissé cette maison, dit-elle d'une voix grave, les yeux fixés sur son verre. Il n'a pas eu le temps de prendre d'autres dispositions pour Crispin, sinon je suppose qu'il l'aurait fait... Sais-tu comment il est mort ? Un linteau de pierre lui est tombé dessus, un soir qu'il errait seul sur le site. On l'a retrouvé mort, écrasé sous une pierre d'une demi-tonne. Je me suis rendue sur place dès que j'ai pu et j'ai ramené Crispin. Les autorités grecques se sont montrées très coopératives et nous ont beaucoup facilité les choses.

« Mais cela allait-il être si facile pour la mère et le fils de faire à nouveau connaissance ? » me demandai-je. J'avais l'impression qu'elle était sur le point de m'en parler ; je ne me trompais pas.

– Evelyn, j'ai des problèmes avec mon fils. Toi, sais-tu élever des enfants ?

– Je n'en sais rien. Je n'en ai jamais eu.

Elle cligna des yeux, et la pêche qu'elle pelait retint un moment toute son attention.

– Ça tombe bien, dit-elle enfin. C'est pour ça que j'ai voulu bavarder avec toi ce soir.

– Parle-moi de lui. Tu en brûles d'envie. Vas-y, je t'écoute.

Elle n'eut pas besoin de plus d'encouragements. Étant donné la vie que le garçon avait menée, je ne fus nullement surpris d'entendre ce qu'elle me dit.

– Il était très attaché à son père, vois-tu, ils avaient vécu très proches l'un de l'autre pendant douze ans, sans avoir à se partager avec d'autres. Pendant toutes ces années, il ne m'a pas vue, même pas une fois. Je suis une étrangère pour lui, rien de plus. Je n'ai pas fait de grands efforts pour gagner son affection. Je voulais lui laisser du temps… mais malgré ça, il ne se fait pas à sa nouvelle vie comme il le devrait. Je l'ai mis dans l'ancienne école de son père, pensant que le seul fait que Bruce y avait été le réconcilierait avec cette idée. J'aurais dû me douter que ce ne serait pas si simple. Après avoir été traité comme un égal et un être responsable, comment pouvait-il voir les choses comme les enfants de son âge et se plier à la discipline propre d'une école ? On ne peut pas oublier d'un coup tout ce que l'on connaît pour redevenir un enfant, tu comprends ? Tout lui paraissait tellement absurde, prétentieux, il estimait que c'était une telle perte de temps. Il… enfin, il…

– Il s'est enfui, dis-je.

– Après une semaine, alors qu'ils avaient fait l'impossible pour l'admettre, en souvenir de Bruce ! Je l'aurais bien renvoyé là-bas, mais il m'a prévenue qu'il recommencerait chaque fois. Je savais qu'il le ferait, alors à quoi bon ? Je l'ai envoyé au lycée de la ville voisine. Il avait des années d'avance dans la plupart des branches, sauf dans quelques-unes : les sciences exactes n'avaient jamais intéressé Bruce. Mais cette école ne lui convenait pas non plus. Comme il ne pouvait à proprement parler « s'échapper » de celle-là, il s'est mis en tête de créer du désordre dans tout l'établissement. On lui a tenu tête pendant trois semaines, puis il a fallu se rendre à l'évidence : son endurance était plus tenace que celle de ses professeurs ; alors ils m'ont informée qu'ils ne pourraient jamais rien faire de lui, décidé comme il l'était à ne pas les écouter. Je me suis résignée à le retirer du lycée. Que pouvais-je faire d'autre ?

La seule solution que j'imaginai n'était pas de celles qui auraient plu à Dorothy, aussi préférai-je m'abstenir. À la réflexion, elle ne me paraissait pas tellement intéressante. Après tout, le garçon était excusable. Dorothy avait raison : quand on vous a élevé pour faire de vous un être absolument impropre à supporter la vie de lycéen, il vous est impossible de gommer tout votre passé et de refaire votre instruction depuis le début.

– Naturellement, tu voudrais qu'il aille à l'université ?

– Ce serait un tel gâchis si je ne pouvais pas l'y envoyer. Il est très intelligent, Evelyn. Ce n'est pas de l'orgueil maternel, je t'assure : il est réellement brillant.

– Alors la seule solution admissible est de lui donner des leçons particulières. Trouve-lui un précepteur qui puisse le conquérir.

– C'est ce que j'ai fait, dit Dorothy d'un air satisfait. Et c'est Crispin qui a eu le dessus. Il lui a fallu un mois pour venir à bout de cet homme, mais il a réussi.

– Ce précepteur devait être bien faible, dis-je imprudemment ; se laisser ainsi dominer par un garçon de seize ans…

– C'était un homme très bien, mais je crains que tu ne sous-estimes Crispin.

– Pourtant, il n'arriverait pas à me faire quitter la maison, prétendis-je encore plus étourdiment.

L'ombre d'un sourire se dessina sur les lèvres de Dorothy pendant une fraction de seconde.

– Je ne crois pas qu'il y parviendrait, dit-elle en m'approuvant trop rapidement. C'est pour cela que j'étais si heureuse tout à l'heure d'apprendre que tu étais libre. Evelyn, j'ai une idée épatante.

Je compris alors où elle voulait en venir ; comme au temps de notre jeunesse, je me suis senti désarmé avant même qu'elle me dise ce qu'elle attendait de moi.

– Si je me rappelle bien, dis-je, résigné et encore plus prophétique que je ne le réalisais, dans le passé, tes idées épatantes me valaient toujours une bonne correction, « pour avoir entraîné Dorothy à faire des bêtises »…

Elle rit, sachant déjà qu'elle n'avait qu'à demander et que je ne pourrais rien lui refuser. Elle étendit la main par-dessus la table et la posa sur la mienne ; son rire cessa aussi brusquement qu'il avait commencé. Il n'y avait aucun doute, cette question lui tenait infiniment à cœur.

– Evelyn, je n'ai jamais pu me défaire du sentiment que j'avais abandonné Bruce. Et c'est encore pire maintenant qu'il est mort, parce qu'il est trop tard pour me rattraper. Mais je ressens d'autant plus impérieusement la nécessité de faire tout ce qui est en mon pouvoir pour Crispin, en mémoire de son père… Si je suis venue à Londres, c'est pour assister à la conférence du professeur Barclay. Tu vas me trouver idiote… mais tu vois, c'est l'homme qui fait autorité dans le domaine où travaillait Bruce, et il lui vouait une telle admiration, il était si avide de sa reconnaissance… Je ne sais pas, peut-être espérais-je qu'il glisse dans sa conférence un petit hommage à mon mari… Il n'en a rien fait, bien sûr. Sans doute à juste titre… mais même les experts ont des moments d'humanité, et j'ai pensé que si peu de temps après son décès… Le professeur m'a écrit une lettre très aimable après la tragédie : il disait avoir appris que j'étais désormais seule avec un fils à élever et que s'il pouvait m'être d'une aide quelconque, pour l'épauler dans ses projets… Je lui ai répondu que Crispin était encore au lycée. Ce n'était qu'une lettre de circonstance, mais j'ai été touchée.

« Je voulais que Crispin m'accompagne à la conférence, pour le présenter au professeur, pensant qu'il se serait montré plus réceptif envers quelqu'un que Bruce admirait et dont il parlait. Si cela avait marché, j'aurais maintenu le contact et demandé au professeur de nous rendre visite dans le Somerset de temps à autre. Mais Crispin n'a pas voulu venir. Dire que j'ai même fait l'effort de lire son dernier livre !… conclut-elle avec un sourire triste en me montrant la couverture austère.

Se détachait un titre en lettres noires sur blanc : *La Chute de la maison des Atrides* et la photo de l'auteur, tout aussi docte et olympien, avec ses cheveux grisonnants et sa moustache taillée, le regard perçant sous ses sourcils épais.

– Il n'a pas l'air d'un abord facile, fis-je remarquer gentiment en revoyant avec un pincement au cœur Dorothy faisant le pied de grue devant la salle, hésitante comme une écolière timide.

– Non, et j'ai compris que ça ne collerait pas. Ces gens-là ne sont pas humains, pas vraiment. Mais après tout, peu importe. J'ai eu plus de chance que je ne l'espérais. Je t'ai rencontré à la place.

Sa main reposait toujours sur la mienne.

– Evelyn, veux-tu venir avec moi et servir de précepteur à Crispin ? Avec de bons appointements, bien entendu, mais à cette seule condition ; sinon ce ne serait pas honnête. Tu es cultivé, parfaitement capable de faire son éducation, mais ce n'est pas le principal. Il a besoin d'avoir un homme comme ami. Il a toujours vécu parmi les hommes, et, en gagnant sa confiance, tu pourrais l'aider à supporter le monde sans Bruce et... et avec moi. Evelyn, je crois que Crispin ne m'aime pas. C'est à cause de Bruce, sans doute. Et j'ai tellement besoin d'un allié ! Je préfère que ce soit toi plutôt que le premier vieux barbon venu.

« Viens avec moi dans le Somerset demain. Une fois qu'il se sera habitué à sa nouvelle vie, tu seras libre de partir quand tu le souhaiteras... mais j'espère que tu t'en seras fait un ami.

Je réfléchis à sa proposition. Après tout, pourquoi pas ? Personne dans ce pays ne m'attendait ; aucune situation ne m'était offerte. Dorothy et le Somerset : c'était une solution qui en valait une autre. Quant au garçon, je n'y avais pas du tout songé, mais si je pouvais réellement aider Dorothy, c'était une motivation suffisante.

– J'accepte, dis-je, et nous nous serrâmes la main.

II

Bruce Almond devait avoir laissé une grosse fortune derrière lui, à en juger par la Jaguar que Dorothy conduisait – à moins que ce ne fût un des fruits de sa carrière personnelle. Nous fîmes la route en un temps record et nous débouchâmes dans l'allée des Lawns, à Chilcot Mendip, vers 15 h 30.

C'était une grande maison, d'architecture sobre, au milieu d'une vaste pelouse bien entretenue ; des bouquets d'arbustes et de nombreux arbres entouraient le jardin de tous les côtés. La propriété se trouvait au bord de collines crayeuses ; le village, assez important pour être considéré comme un gros bourg, était juste en contrebas, dans un creux du versant des collines, abrité par un escarpement peu profond.

Un jardinier tondait les pelouses, et un autre s'occupait des massifs de fleurs qui bordaient l'allée. La façade de la maison, de style XVIIIe, s'élevait sur trois étages aux fenêtres d'un dessin délicat. Le toit était plat et muni d'un large parapet.

– La fortune de Bruce me permet d'entretenir tout cela, dit Dorothy en devinant mes pensées. Je pense que je le lui dois bien. Ce que je gagne suffit à me faire vivre, mais pas à entretenir les Lawns. Un jour, tout cela reviendra à Crispin. Je n'en suis que la dépositaire, c'est tout.

Étrangement humble et arrogante à la fois, elle tenait à préciser sa position pour éviter tout malentendu avec ceux à qui elle avait affaire, fût-ce de très loin.

– Les exploits archéologiques de Bruce ont débuté ici, me dit-elle en me montrant la colline qui s'élevait en pente douce derrière la maison. Il y a des cavernes, si cela t'intéresse. Quand il était petit, il s'y rendait souvent pour y dénicher quelques reliques insignifiantes. Étrangement, celle qui est la plus proche de la maison n'a été habitée par aucun de nos ancêtres, m'a-t-on dit. Évidemment, nos cavernes sont de la petite bière, comparées à Cheddar et à Wookey Hole. Personne ne les visite jamais.

Il n'y avait rien de sinistre ni d'accablant dans cette maison. Elle plongeait solidement ses fondations dans le sol avec l'orgueilleuse assurance du XVIIIe siècle. Mais le versant accidenté de la colline qui s'élevait au-delà, ses bandes crayeuses près du sommet et ses quelques touffes d'herbes éparses donnaient à l'endroit un air de forteresse assiégée par quelque ennemi sorti de la nuit des temps. Plus j'observais les environs, plus le contraste me paraissait grand entre l'aspect cossu de la maison, tournée avec confiance vers la petite ville, et les tristes collines crayeuses.

– Ne te sens-tu pas trop éloignée de Londres, ici ? demandai-je à Dorothy. Dans ta profession, cela doit présenter des inconvénients.

– À vrai dire, je n'ai accepté aucun engagement depuis que je suis rentrée, répondit Dorothy avec un peu d'humeur. J'ai voulu donner à Crispin l'occasion de se faire à sa nouvelle vie et le temps de s'habituer à moi. Je ne crois pas que je passerai toute ma vie ici, mais je peux me permettre d'y rester quelques années.

Elle croisa mon regard et me fit un pauvre sourire.

– Je sais ! Le succès ne m'attendra pas toujours, mais je n'y peux rien. Crispin me pose un problème que je dois résoudre. Nous sommes venus ici parce que c'était la maison de son père et l'endroit qu'il désirait habiter.

– Allons à sa rencontre, dis-je. J'ai hâte de faire sa connaissance.

Elle devait appréhender cette rencontre, car elle se mit à parler avec volubilité tandis que nous entrions dans la maison. Je trouvais inouï qu'un gamin de seize ans ait pu ébranler à ce point l'assurance sereine de Dorothy, celle-là même qui avait dû plonger dans le désespoir tant d'hommes du monde.

Pour le moment, ses craintes étaient vaines : aucun garçon ne vint l'accueillir dans le hall ; il n'était pas non plus dans le grand salon baigné de soleil, ni dans le confortable jardin d'hiver, ni dans la bibliothèque. Pourtant, certains signes révélaient sa présence dans cette dernière pièce. Dans l'embrasure de la haute fenêtre, des livres s'empilaient sur une table recouverte de cuir. Un des volumes était resté ouvert, couverture au dessus, sur le cuir d'un rouge sombre, comme si le garçon l'avait abandonné peu de temps auparavant. J'avisai un paquet de cigarettes et un cendrier contenant une demi-douzaine de mégots.

– C'est à lui ? demandai-je.

– Bien sûr. Bruce lui permettait de fumer, il est trop tard pour y changer quelque chose. Il ne fume jamais beaucoup, mais il exagérerait certainement si j'essayais de l'en empêcher.

Évidemment, il aurait été ridicule de s'indigner d'une réaction aussi naturelle.

– Et c'est là le genre de livres qu'il aime lire ?

Il y avait un carnet de notes à côté de la pile, mais je n'y touchai pas. Crispin avait laissé là ses affaires, supposant comme un adulte qu'on n'y toucherait pas, mais je ne pus m'empêcher de déchiffrer le titre de l'ouvrage qu'il était en train de lire. Je n'avais aucune idée de ce que j'allais découvrir ; mais le nom de Sophocle me surprit.

– Malgré son aversion pour l'école et son antipathie pour les précepteurs, dis-je, il semble avoir du goût pour l'étude.

– Il lit énormément, et toujours des choses trop compliquées pour moi. Je crois que c'est le seul endroit de la maison où il se sente presque heureux. Parcourir le Moyen-Orient est certainement une vie passionnante, mais elle vous empêche d'emporter avec vous une bibliothèque bien fournie. Veux-tu m'excuser, Evelyn, je ferais mieux de chercher où il est allé ; je suppose que Mme Hallam pourra me renseigner.

Elle revint dix minutes plus tard, l'humiliation et la résignation peintes sur ses traits.

– Mme Hallam l'a vu sortir après le déjeuner. Il n'a dit ni où il allait, ni quand il reviendrait. Elle le lui a demandé, mais il a répondu que ça ne la regardait pas.

– En résumé, dis-je, c'est le premier coup de la campagne qu'il mène contre moi.

– Je ne crois pas, non ; quand je lui ai téléphoné ce matin, je ne lui ai pas dit un mot à ton sujet. Non, c'est simplement le dernier coup de sa campagne contre moi.

Il ne nous restait plus qu'à attendre. Entre-temps, je m'installai dans la chambre voisine de celle du garçon. Personnellement, j'estimais que c'était une erreur, mais Dorothy en avait décidé ainsi. Elle me montra la chambre de Crispin. À part une multitude de livres, elle ne présentait rien de remarquable ; très peu d'objets apportaient une touche personnelle. On aurait dit que l'adolescent n'avait fait aucun effort pour y trouver une place permanente à ses affaires, utilisant simplement la pièce pour dormir jusqu'à ce que les événements l'entraînent vers un autre endroit encore inconnu. Une chambre d'étudiant... non, beaucoup moins personnelle que cela, car je n'y voyais aucun trophée de la vie passée de Crispin, aucune photographie de groupe pour lui rappeler ses amis. On avait l'impression d'être dans une chambre d'hôtel qui serait occupée si peu de temps qu'il ne valait pas la peine de défaire ses valises.

Le seul objet qui eût une signification, à part les livres, était une photo sur une table basse près de la fenêtre, éclairée par la lumière du jour. J'y reconnus le visage fin et enthousiaste de Bruce Almond, avec son teint hâlé, la moustache coupée court, presque militaire, et ses yeux d'un bleu ardent ; derrière lui, le sol aride et érodé de la Grèce, un pan de mur blanc et cet air d'une clarté aveuglante, d'une pureté de cristal. Était-ce cet air qui faisait de la recherche de la vérité un des traits si naturels du génie de la Grèce ? Cette clarté limpide qui donnait à l'œil le pouvoir de distinguer les choses à une distance considérable, comment n'aurait-elle pas invité l'esprit à l'imiter ? Non que les yeux bleus de Bruce aient jamais recherché la vérité dernière, à en croire Dorothy, mais le garçon était peut-être différent du père ; après tout, il était aussi le fils de Dorothy...

Il ne se montra qu'à la fin de la soirée. Dorothy et moi avions dîné ensemble et, si elle avait été moins anxieuse, j'aurais éprouvé personnellement beaucoup de plaisir à ce tête-à-tête, mais son esprit était au loin, accaparé par ce fils introuvable. Après cela, nous nous assîmes dans le jardin d'hiver, et Dorothy se mit à jouer. Elle était trop distraite pour faire honneur à sa réputation, mais malgré tout, je pus avoir un aperçu du talent qui l'avait portée si rapidement au premier rang des artistes de renom. Elle avait un goût très délicat, qui enlevait au plus difficile des instruments toute agressivité car, d'instinct, elle rejetait tout penchant à la sensiblerie ou à l'emphase. Le violon est aussi un instrument gracieux, et la pureté des formes de Dorothy s'accordait merveilleusement à la mélodie qu'elle jouait. Il me semblait étrange qu'un garçon de seize ans ne se sentît pas fier d'une telle mère.

Il faisait presque noir, et nous écoutions des disques, lorsque je distinguai le bruit à peine perceptible d'un corps se déplaçant près de la fenêtre ouverte sur le jardin. Je tournai la tête et vis la silhouette du garçon se détacher sur le ciel limpide de cette soirée de juillet. Il avait dû s'approcher à pas de loup, et Dorothy ne l'avait pas entendu. Elle restait assise, accoudée à son fauteuil, le menton dans les mains, et le garçon la regardait attentivement, debout devant la fenêtre ouverte. J'étais un peu en retrait de sa ligne de vision directe et, absorbés comme nous l'étions par la musique, nous n'avions échangé aucune parole qui aurait pu lui révéler ma présence. Son attention était tellement concentrée sur sa mère que je doute qu'il m'ait remarqué.

Svelte et d'une taille un peu en dessous de la moyenne pour un garçon de son âge, il avait dans son apparence soignée, dans le port de sa tête, et même dans sa silhouette, quelque chose qui me rappelait

Dorothy. Je ne pouvais en distinguer davantage. La sensation de sa présence fit sortir Dorothy de sa rêverie. Elle l'aperçut et s'exclama :

– Crispin !

Puis elle se leva vivement pour donner de la lumière. Alors, parce que je l'observais déjà, j'eus le temps de capter la dernière expression de ce visage sans défense, brutalement tiré de l'ombre qui le voilait, avant qu'il ne se compose, avec une résolution et une vivacité peu courantes chez un adolescent, le masque froid derrière lequel il devait habituellement se cacher. Le changement d'attitude se fit en une fraction de seconde, le révélant à mes yeux, tout en m'aveuglant un instant. Les yeux sombres aux pupilles anormalement dilatées par l'obscurité eurent une brève lueur d'irritation, puis s'adoucirent ; assez semblables à ceux de Dorothy, mais d'une couleur plutôt bleue que violette, ils clignèrent à la soudaine clarté de la lampe. L'expression farouche et tendue de ce visage immobile, anguleux comme celui de Bruce, fit place à un calme serein et austère.

– Bonsoir ! dit Crispin. J'espère que vous avez fait bon voyage.

On lui aurait donné plus que son âge, dix-huit ans environ. Les vêtements qu'il portait n'y étaient pour rien, quoique le pantalon gris bien coupé, le veston de tweed, la chemise à col ouvert et l'écharpe de soie soient l'habillement courant de n'importe qui entre dix-sept et soixante-dix ans. C'était plutôt quelque chose dans l'attitude de Crispin lui-même qui le vieillissait. Malgré sa petite taille, son visage et son corps paraissaient plus formés que ceux d'un adolescent de seize ans. Il se comportait avec une sûreté très différente de la gaucherie de poulain des garçons de son âge et se dissimulait derrière la neutralité civilisée d'un homme fait.

– Crispin, où es-tu allé ? s'écria Dorothy, déjà mécontente, dès que l'anxiété l'eut quittée. Je m'attendais à te voir quand je suis rentrée cet après-midi. Je t'avais dit que je serais à la maison avant l'heure du thé.

– Vous ne m'aviez pas dit que vous comptiez sur ma présence, répondit-il en haussant légèrement les sourcils.

– Naturellement, je comptais sur ta présence. Était-il nécessaire que je te le dise ? Viens ici et ferme la fenêtre.

Quand il lui eut obéi, ce qu'il fit immédiatement, elle se tourna vers moi, et le garçon, suivant son regard, me vit pour la première fois.

– Monsieur Manville, je vous présente mon fils Crispin.

Le regard qu'il m'adressa me mesura, me pesa, me déclara la guerre et me rejeta à des kilomètres ; un regard étonnant, brillant, farouche et hostile, tandis que le visage et la voix gardaient une politesse distante.

– Je vous prie de m'excuser ! dit-il. Ma mère ne m'avait pas dit qu'elle amenait un invité.

Puis, sans faire un pas dans ma direction, il m'adressa un petit salut courtois et guindé, affirmant ainsi sa volonté d'éviter tout rapprochement.

– Monsieur Manville est ton nouveau précepteur, dit sèchement Dorothy.

La nouvelle lui apporta un certain soulagement, sans doute parce qu'elle lui permettait de me situer. Du moins attribuai-je au soulagement le changement que je lus dans ses yeux et qui s'alliait à une expression d'hostilité légèrement méprisante. Crispin avait un tel contrôle de ses traits que seuls ses yeux trahissaient ses pensées. Des yeux remarquablement beaux dans un visage pur, mais, au fond, assez quelconque, des yeux qui avaient pris une couleur bleue moins profonde, maintenant qu'il avait la situation bien en main.

– J'espère que ma mère vous a bien fait comprendre que cette situation n'était pas une sinécure ? dit-il de ce ton de conversation banale propre à toutes les réceptions mondaines. Vous avez accepté en connaissance de cause ?

– Oui, oui. Je connais le challenge.

Dans ce cas, je vous trouve bien « sport » d'accepter.

Il se dirigea vers un meuble de l'autre côté de la pièce et se versa un verre de vermouth, geste de défi qu'il n'oserait sans doute pas dépasser. Il voulait se montrer aussi provocant que possible, sans atteindre le point où sa mère serait obligée de le rappeler à l'ordre. Mais il n'était pas aussi froid qu'il voulait en donner l'impression. Ma présence l'avait surpris et, pour quelqu'un qui avait été mis en garde à son égard, je ne parlais pas assez pour le rassurer ; je ne me montrais ni assez ferme, ni assez doctoral.

– Vous a-t-elle dit que le dernier n'avait pas tenu le coup plus d'un mois ? demanda-t-il, le dos tourné.

– Oh ! il a dû avoir des scrupules de recevoir de l'argent de votre mère sans aucun résultat pour vous. Mon raisonnement est tout différent, cela m'est parfaitement égal que vous vouliez vous instruire ou non. J'ai tout mon temps.

Ce n'était pas le cas pour lui. Je vis se raidir ses épaules.

– Puis-je vous servir quelque chose ? Je crois que nous pourrions faire une trêve ce soir…

– Voyons, Crispin, dit Dorothy, cesse de dire des inepties. Personne ne veut te forcer à aller à l'école maintenant. Tu n'as aucune raison de refuser de poursuivre ton instruction ici, à la maison. Tu sais fort bien que ton père aurait désiré que tu entres à Oxford, comme lui. Ne veux-tu pas faire ce qu'il avait souhaité ?

Il se retourna et la regarda, le verre à la main, sans mot dire. Il était facile d'imaginer les pensées qu'il avait en tête, mais le fait qu'il ne réponde pas tout de suite fut révélateur.

– Tu as des dispositions, et je ne peux pas croire que tu sois assez bête ou méchant pour rater cette occasion. Tu as donc besoin de quelqu'un pour t'aider. Pourquoi ne te montres-tu pas raisonnable et ne prends-tu pas la peine de faire la connaissance de M. Manville avant de t'obstiner dans une attitude que tu regretteras plus tard ? Mesures-tu ce que tu perdras en laissant passer cette chance ?

– Je n'ai besoin de l'aide de personne, dit-il lentement et avec fermeté.

– Tu n'es pas sot au point de croire cela, dit Dorothy en se levant, un sourire aux lèvres, et en étouffant un soupir. Je vais me coucher et je vous laisse tous les deux pour vous permettre de trouver un terrain d'entente. Bonne nuit, monsieur Manville ! Bonne nuit, mon chéri !

Il lui offrit sa joue pour un baiser, se soumettant à ce rite avec une mine résignée, comme les garçons le font d'habitude avec leurs tantes ; mais, d'où je me tenais assis, je pouvais sentir la tension qui raidissait son corps.

Quand elle eut quitté la pièce, il s'approcha et se laissa tomber dans un fauteuil en face de moi.

– Excusez-moi, dit-il avec une franchise qu'il voulait aussi convaincante que l'agressivité qu'il avait montrée précédemment. J'espère que vous comprenez que je n'ai rien contre vous personnellement, mais je ne veux pas de précepteur, et je n'en aurai pas. Je n'ai pas l'intention d'étudier et je ne désire pas que vous restiez ici.

– Quelle objection faites-vous à l'étude ?

– Je n'y vois aucun intérêt.

– Je trouve cette explication assez étrange, surtout venant de quelqu'un qui lit Sophocle dans le texte, pour son plaisir.

– Oui, pour mon plaisir. Il se trouve que j'en retire de la satisfaction.

– Parfait ! Alors, quel mal y aurait-il à ce que nous lisions du grec ensemble, jusqu'à ce que vous découvriez que d'autres choses vous apportent du plaisir ?

– Vous ne m'aurez pas, dit-il en élevant la voix et en rougissant.

Il pinça les lèvres avec détermination.

– Fort bien, si c'est ainsi que vous le voulez. Mais que vous m'écoutiez ou non, je resterai ici, bien que cela vous déplaise. Ne pensez-vous pas qu'il vaudrait mieux tirer le meilleur parti possible de ma présence ?

Il garda le silence.

– Bon, je considère que la guerre est déclarée. À quelle heure de la matinée désirez-vous que la première bataille ait lieu ?

– Cela n'a aucune importance, dit-il d'une voix coupante. Vous ne me trouverez pas.

– Si vous voulez dire que vous avez l'intention de vous échapper des Lawns, sachez que je ne vous crois pas. (J'essayais de lui dissimuler l'embarras dans lequel son attitude me mettait et poursuivis bravement :) Je crois que c'est la dernière chose que vous feriez, pour des raisons bien connues de vous-même. Mais, si vous voulez dire que vous ne serez pas ici… disons à neuf heures et demie… dans cette pièce, prêt au combat, libre à vous. Vous y serez de toute façon un peu après, même si je dois vous porter.

Il devint écarlate, mais ne se récria pas inutilement et, à en juger par son regard furieux et pénétrant, il ne se faisait pas d'illusion sur l'issue de la lutte si on en arrivait là. Il ne se rendait que trop bien compte que sa force physique n'était pas en rapport avec ses propos, et il avait assez de bon sens pour ne pas ignorer la réalité malgré sa colère.

– Quand vous m'aurez traîné de force, dit-il en se mordant les lèvres, vous ne serez pas plus avancé, je ne travaillerai pas.

– Ça, c'est votre affaire, mais vous vous serez ennuyé à mourir quand sonnera l'heure du déjeuner, et encore plus assommé dans le courant de l'après-midi.

– Vous aussi, dit-il avec beaucoup d'à-propos.

– La pensée d'être payé pour cela me consolera ; mais vous, vous n'aurez même pas cette perspective pour vous soutenir le moral.

– Et combien de temps croyez-vous que vous pourrez tenir ?

– Aussi longtemps que vous m'y obligerez.

Il me lança un long regard de ses yeux devenus presque noirs de colère, se leva d'un bond, puis sortit sans ajouter un mot.

III

« Trouve-lui un précepteur qui puisse le conqué-rir », avais-je dit.

Nous luttâmes, Crispin et moi, pendant près de trois semaines, en variant les tactiques et sans aucune bataille décisive, réservant nos forces pour un affron-tement final qui ne venait pas. Il était passé maître dans l'art d'exaspérer son adversaire. Je n'imaginais que trop bien l'état d'esprit dans lequel mon prédé-cesseur avait jeté l'éponge et le soulagement avec lequel il avait foulé pour la dernière fois la poussière de Chilcot Mendip de ses talons tant qu'il était encore sain d'esprit.

Mais je ne pouvais faire de même : la mission que j'avais acceptée n'était pas de celles dont on peut démissionner. Et puis, ne m'y étais-je pas engagé ? Ce qui était le plus étrange, c'est que je m'étais pris d'affection pour ce petit démon ; j'admirais sa téna-cité, même lorsque j'avais une envie folle de lui tordre le cou.

Pendant une semaine, il s'ingénia à demeurer introuvable durant les heures de travail. Chaque fois, je partais à sa recherche avec une détermination que plusieurs tentatives infructueuses avaient fortifiée. Je pus ainsi vérifier mes suppositions : il ne s'éloignait jamais beaucoup de la maison. Je l'emmenais avec moi dans la bibliothèque et l'y faisais rester, en plus du temps prévu, le temps qu'il m'avait fallu pour le dénicher. Je parvins à mettre sous clé tous les moyens de transport dont il pouvait disposer à la maison et, au bout de quelques jours, j'en arrivai à deviner avec assez d'exactitude l'endroit où je le trouverais. Je ne m'abaissais pas à l'espionner à l'avance et, lorsque les heures des leçons étaient passées, je lui rendais sa liberté. Je me bornais à l'obliger à rester assis le temps qu'il fallait en ne lui laissant d'autre occupation que les cours qu'il refusait de suivre. Sa résolution ne fléchissait pas davantage. Il n'essayait pas de tenter sa chance en me résistant : une fois découvert, il sortait de sa cachette et venait avec moi, les sourcils levés et la lippe méprisante. Dans la bibliothèque, il s'asseyait sans prononcer un mot, sans prendre le livre que je lui tendais ni en ouvrir un lui-même et sans faire aucun cas de ma présence à ses côtés, se bornant à me jeter un regard furtif de temps à autre.

Ce n'était pas aussi facile qu'il le prétendait, et cette méthode ne lui apportait aucune satisfaction ; cette inaction était contraire à sa nature et l'affectait beaucoup plus que moi. Je continuais à lui présenter des livres, car sa tentation à les accepter et à suivre mes leçons grandissait visiblement de jour en jour ; et sans relâche, je poursuivais avec autant d'éloquence que le permettait cet auditoire figé les leçons d'histoire, de littérature et d'art, auxquelles il se refusait à prêter la moindre attention. Essayer de provoquer ses réactions était hors de question, mais il ne pouvait s'empêcher d'entendre mes exposés et, à certains moments, sous le masque impénétrable qu'il portait, je voyais que j'avais capté son intérêt ; malgré lui, il m'écoutait avec attention.

J'emportais ce round lentement ; je prenais du terrain pouce par pouce, mais je gagnais. Il s'en rendit compte et changea de tactique. De taciturne, il devint volubile et, avec grand effort, il abandonna ses manières policées pour se montrer le garçon de seize ans le plus grossier qu'on puisse imaginer. Chaque mot qu'il me disait était d'une insolence calculée. Durant toute sa courte vie, il devait avoir étudié l'art d'irriter ses professeurs et ses aînés. Il y était expert. Comme si ce n'était pas suffisant, il se montra mal élevé avec Dorothy et vit tout de suite qu'il pouvait me toucher encore plus sûrement en se rendant odieux avec elle. Très souvent, il lui fallait combattre sa bonne éducation naturelle pour rester assis ou garder sa cigarette aux lèvres quand elle entrait dans la pièce ; on voyait qu'il s'efforçait de ne pas bondir pour lui donner du feu dans les rares occasions où elle fumait, mais il parvenait à se dominer et à tenir le rôle qu'il s'était choisi.

À certains moments, son attitude approchait du point où seule une formidable raclée aurait été la réponse méritée ; et s'il ne dépassait pas les bornes, c'était sans doute parce que ses propres grossièretés le heurtaient autant que les autres, et il le cachait mal. L'insurmontable réprobation que je lisais dans ses yeux, la rougeur qu'il ne parvenait pas à dissimuler changeaient toujours mon exaspération en curiosité. Pourquoi donc se donnait-il tant de mal uniquement pour affirmer son opposition à ma présence ? M'obliger à partir était donc d'une telle importance ? Ma curiosité était telle qu'il m'aurait été impossible de céder la place à un autre tant il m'intriguait.

Cette phase se termina la dernière semaine de juillet. Dorothy dépouillait son courrier à la table du déjeuner, et Crispin, qui mettait un point d'honneur à nous contrarier en accumulant les retards aux repas, arriva au moment précis où elle dépliait la dernière lettre.

– Il me semblait bien avoir reconnu l'écriture ! s'exclama-t-elle. Dermot est rentré en Angleterre !

Ce nom ne me disait rien, mais il surprit le garçon. Je l'entendis s'arrêter derrière moi et le sentis se raidir. Je ne pouvais me retourner pour le regarder en face, mais j'imaginai l'expression que j'aurais lue sur ses traits : tendus et figés, les lèvres pincées et les yeux à moitié dissimulés sous ses longs cils, assombris comme par l'annonce d'un danger imminent. Il se reprit tout de suite, s'approcha de la table et s'assit à sa place habituelle. Installé en face de moi, il avait seulement l'air endormi, distrait et de mauvaise humeur, comme s'il s'était réveillé très tard et avait l'esprit encore engourdi.

Pourtant, il était encore tendu, et j'étais heureux de constater que Dorothy y attachait moins d'importance que moi, peut-être parce qu'elle avait du mal à le considérer autrement que comme son enfant.

– Dermot ? dis-je. Est-ce que je le connais ?

– Non, excusez-moi, je pensais tout haut. Dermot Crane était l'assistant de mon mari à Pirithoön. Il resté en Grèce après notre départ et il vient de rentrer. Il voudrait venir passer le week-end. Crispin le connaît très bien, naturellement. Ce serait agréable de revoir Dermot, n'est-ce pas, mon chéri ?

Elle se tourna vers lui avec un empressement qui me parut émouvant de la part d'une créature si orgueilleuse, espérant au moins déceler une étincelle de joie sur le visage de son fils.

Il lui lança un regard noir.

– Vous croyez ? dit-il sans la moindre expression.

– Oh ! naturellement, dit-elle, se retranchant derrière l'attitude tolérante et l'enjouement forcé qu'elle adoptait lorsqu'il se montrait désagréable, si tu t'es levé du pied gauche, nous n'en parlerons plus. Tu ne trouves rien de bien quand tu es de cette humeur.

– De toute façon, vous allez lui écrire de venir ici, dit Crispin froidement. Alors, ce que j'en pense ou rien…

Ces paroles ambiguës l'intriguèrent et lui firent froncer les sourcils. Elle dut se dire que son affection la rendait hypersensible car, lorsqu'elle se leva de la table et passa derrière lui pour aller au jardin, elle posa les mains sur ses épaules, avec une telle tendresse mêlée d'anxiété qu'il ne restait plus rien d'intact de la Dorothy altière et adulée du public.

– Mon chéri, je voudrais tellement…

J'ignore ce qu'elle allait dire ; elle ne le savait peut-être pas elle-même, car elle en resta là, avec un grand soupir résigné ; puis, les mots lui manquant, elle céda au désir de laisser ses mains exprimer ce que sa bouche lui refusait. Elle baissa la tête, déposa un baiser sur sa tempe qu'il écartait, là où ses cheveux noirs et bouclés poussaient fins comme du duvet, puis elle passa son bras autour de ses épaules et attira sa joue contre la sienne.

Pendant une seconde, je crus qu'il allait répondre à sa tendresse. Il hésita, se laissa presque aller, puis ce que j'attendais arriva. Il se reprit avec un frisson, comme s'il reculait devant un gouffre qui se serait ouvert à ses pieds ; il se raidit, sa joue se fit dure contre la sienne, ses muscles se tendirent, et il fronça fortement les sourcils sous l'emprise, aurait-on dit, de la rage ou de la douleur. Il leva les mains et la repoussa violemment.

– Ah, non !

C'était un cri de frayeur, quoiqu'il ait prononcé ces mots d'une voix douce, mais ce qui suivit était froidement calculé et d'une méchanceté délibérée. Il leva vers elle un visage contracté et blême.

– Ne vous exercez pas sur *moi* ! dit-il d'une voix mauvaise. Je vous interdis de vous servir de moi comme d'un cobaye, même si Dermot vient ici pour le week-end. Si vous voulez être en forme pour lui, il y a toujours M. Manville ; je suppose qu'il ne refusera pas de vous donner des leçons.

Dorothy écarta ses mains comme s'il lui avait brûlé les doigts et resta immobile, blanche et tremblante, regardant ce jeune visage convulsé qui était devenu soudain pareil au sien. Il était atterré par ce qu'il avait dit. Ces mots avaient à peine été prononcés qu'il aurait voulu disparaître à jamais, mourir, être invisible, changé en pierre, être n'importe quoi, mais oublier ce qu'il avait dit et nous faire perdre la notion de ce que nous avions entendu. Mais ses paroles étaient encore là, vibrant dans l'air, il était impossible de prétendre que ce n'était pas arrivé et de passer cela sous silence. Certaines choses peuvent s'estomper si on les ignore assez longtemps, mais pas cela. Les larmes de Dorothy me firent sortir de ma stupeur avant même que je ne réalise combien j'étais furieux.

Je bondis de ma chaise et l'arrachai de la sienne en le prenant par le col de sa chemise. Je me rappelle avoir demandé à Dorothy de nous excuser, d'un ton on ne peut plus naturel :

– Nous avons des affaires urgentes à régler.

C'était vrai. Cette fois, il allait répondre à mes questions, même s'il fallait que je lui arrache chaque

44

mot. Cette fois, il allait me dire pourquoi il voulait éloigner de lui tous les étrangers, ce qu'il reprochait à sa mère et qui avait bien pu l'empoisonner à ce point. Il fallait qu'il me réponde, sinon !…

Je n'avais que cette idée en tête lorsque je le fis monter l'escalier au pas de course. Que croyait-il que j'allais lui faire ? Après tout, un enfant effrayé se cachait derrière ce jeune homme odieux. Quoi qu'il en soit, arrivé sur le palier, presque devant la porte de sa chambre, il s'effondra soudain à mes pieds, puis, de toutes ses forces, tira mon poignet vers lui, essayant de me faire passer par-dessus sa tête. Ce n'était pas une mauvaise prise, après tout, et si mes réactions n'avaient pas été, comme d'habitude, assez rapides, il y serait parvenu. En réalité, il ne réussit qu'à me faire assez mal à la cheville avec son talon et à me faire cogner du coude le chambranle de la porte.

Je le soulevai du plancher comme un sac, le jetai à plat ventre sur son lit et lui administrai un petit échantillon de ce que j'avais accumulé pour lui pendant ces trois dernières semaines. Je possédais tout mon sang-froid, et c'est surtout sa dignité qui en souffrit ; néanmoins, il reçut une fameuse rossée. Il se figea sous l'outrage, puis, au lieu d'essayer de se libérer de ma main qui le tenait ferme au collet, il m'agrippa de nouveau le poignet et se jeta violemment à l'extrémité opposée du lit, cherchant à m'entraîner. Il était trop léger et, au lieu de le retenir, je lâchai prise et accompagnai son mouvement en le poussant fortement. Il desserra son étreinte et tomba avec un bruit sourd qui lui coupa la respiration. J'eus tout le temps de contourner le lit et de l'y rejeter ensuite. Je le maintins là d'une main, attendant qu'il me sorte les autres petits trucs de son répertoire.

Crispin en avait des tas et eut la ténacité de les essayer tous. Il ne se bornait plus à se défendre, mais faisait de son mieux pour me battre. Ce qui l'animait n'était pas tant la peur, mais une fureur à l'état pur. Les efforts qu'il fit pour me faire lâcher prise finirent pourtant par le fatiguer. Je m'étais contenté de parer les coups fourrés, tout en le maintenant, tandis qu'il gigotait comme un possédé sur le lit que nous avions saccagé.

Cela dura, et je ne pourrais dire quand cette lutte sans merci se transforma en une mêlée confuse, presque pour le plaisir. Tout ce que je sais, c'est que je l'entendis tout à coup haleter et gargouiller, la tête dans l'oreiller ; son corps, que je n'avais pas lâché, fut secoué convulsivement, et pendant un moment je craignis de l'avoir fait pleurer d'humiliation. Il ne me l'aurait jamais pardonné si cela avait été le cas. Je me rendis compte qu'il riait. Le rire était bien proche des pleurs dans des circonstances semblables, et ce que nous avions de mieux à faire était de mettre promptement fin au combat tant qu'il riait encore.

– En avez-vous assez ? lui dis-je comme si je m'adressais à un homme de mon âge.

– Oui, répondit-il, la tête dans l'oreiller.

Il pouvait se permettre d'avouer sa défaite, puisque notre lutte avait tout l'air d'une joute amicale, quoiqu'il ait dû éprouver autant de surprise que moi de voir cette correction prendre la tournure d'un jeu.

– Ça va... vous avez gagné ! Laissez-moi me lever !

– Vous ne vous enfuirez pas ? Donnez-moi votre parole. Dix minutes, il ne m'en faut pas plus.

– Très bien, je promets !

Je le lâchai et m'assis à l'autre extrémité de la pièce. Il sortit, haletant, des oreillers chiffonnés, remit un peu d'ordre dans ses vêtements et peigna ses cheveux ébouriffés. Son rire s'était lentement transformé en un sourire mêlé de respect et d'un certain regret. Il me lança un regard embarrassé.

– Dites donc, vous vous y connaissez ! s'écria-t-il impulsivement.

C'était la première fois que je l'entendais s'exprimer comme un garçon de son âge, et ce me fut une révélation.

– Vous n'êtes pas mauvais vous-même, dis-je d'un ton détaché. Qui vous a donné des leçons ?

– Stavros. C'était le contremaître de Bruce sur le chantier à Pirithoön.

Il parlait d'une manière tout à fait normale, sans aucune intention de m'irriter ou de m'en faire accroire.

– Il apprenait souvent à son fils Nikos toutes sortes de choses intéressantes et, le temps qu'il est resté à notre service, il m'a donné quelques leçons. Il me traitait comme un membre de sa famille. Quel type, ce Stavros ! Mais je crois que vous lui auriez tenu tête.

Sans pouvoir m'expliquer pourquoi, je sentais que tout ce que je m'étais promis de lui dire n'était plus de mise : la semonce en tout cas, les questions, guère plus. Je lui dis ce qui, à mon sens, importait le plus, en le regardant droit dans les yeux. Au-delà de son rire de surface, légèrement offensé, je sentis que je touchais quelque chose de plus profond qui se tenait derrière.

– Cela pourrait être utile, en cas de danger... le jour où vous aurez besoin d'aide, Crispin.

Presque à regret, il rentra dans sa coquille pour dissimuler à mes yeux tout ce qu'il m'avait fait entrevoir, mais il me sembla qu'il hésitait avant de fermer la porte.

– Oui, dit-il après un long silence, je crois que vous pourriez m'aider… si vous étiez de mon côté.

Et lentement, tristement, la porte se referma. Son visage m'apparut vieilli par l'anxiété et bouleversé par son impuissance. Il mourait d'envie de se confier. Si seulement il trouvait quelqu'un au monde en qui il pouvait se fier, mais il n'y avait personne…

– Mais vous ne voudrez jamais, reprit-il avec assurance.

– Vous avez tort. Je suis déjà de votre côté. Quand vous aurez besoin de moi, je serai là.

Il finit de remettre de l'ordre dans sa coiffure et ne répondit pas. Dans un certain sens, la fin de son hostilité envers moi paraissait augmenter son désarroi. La guerre était finie, mais pas gagnée, seulement finie. Continuer sa campagne d'usure après cette scène aurait été absurde. Il ne pouvait se débarrasser de moi et ne voulait pas me faire confiance. Pas encore.

– N'allez-vous pas me faire un sermon pour m'être conduit comme un idiot devant ma mère ? me demanda-t-il d'une petite voix hésitante.

– Non. Ce n'est plus nécessaire.

– Quelle sottise ! dit Crispin trop haut et avec défi, trahissant ainsi l'effort qu'il avait dû faire pour admettre son inqualifiable conduite.

– Je sais, je vous ai entendu. Vous avez fait l'idiot, mais d'un autre côté, vous ne l'êtes pas. Ne soyez pas surpris si quelqu'un d'attentif s'étonne de ce contraste.

Il ne trouva rien à répondre. Il s'assit sur le bord du lit, détournant délibérément la tête, évitant mon regard et la lumière jusqu'à ce que les dix minutes se soient écoulées.

– Puis-je m'en aller maintenant ?

– Allez-y ! Je vous suis.

Je n'avais pas l'intention d'assister à la scène, mais il se fit que Dorothy passait justement dans le hall, et je me trouvais sur le palier quand ils se croisèrent. Elle serait passée à côté de lui sans un mot, sans un regard, toute à son angoisse et craignant qu'il ne s'approche d'elle, mais il alla à sa rencontre, à contrecœur.

– Maman !

Je réalisai avec étonnement que c'était la première fois qu'il l'appelait ainsi ; et, même à ce moment, le mot lui venait aux lèvres sans chaleur, comme entre guillemets.

– Maman… je n'aurais pas dû vous parler sur ce ton. Je suis vraiment désolé.

Il s'avança d'un pas et l'embrassa sur la joue, se haussant légèrement sur la pointe des pieds pour y arriver, car elle était plus grande que lui. Il s'écarta ensuite, et c'est presque en courant qu'il entra dans la bibliothèque. Quand j'arrivai au bas de l'escalier, Dorothy n'avait pas encore fait un mouvement. Elle tenait à la main les roses qu'elle avait cueillies au jardin, perdue dans ses pensées, le visage rayonnant, comme si elle avait vu un ange.

Je rejoignis Crispin ; assis à la table, il contemplait ses mains croisées, l'air maussade. Il s'était déjà retranché dans sa forteresse, la herse abaissée, le pont-levis relevé, les douves remplies d'eau, les guetteurs aux remparts. Cependant, cette fois, lorsque je glissai un livre dans sa direction en l'invitant à l'ouvrir, il lui jeta un regard noir mais, d'une main lente, il l'ouvrit.

Peut-être suis-je moins naïf que Dorothy ; j'étais certainement moins heureux qu'elle. « Je n'aurais pas dû vous parler sur ce ton. Je suis vraiment désolé. » Il s'était excusé, oui, mais il n'avait pas retiré un seul mot de ce qu'il avait dit.

IV

À présent que nous en étions arrivés à nous supporter, je partis à la conquête de Crispin. S'il voulait faire du judo, il trouverait en moi un adversaire compétent. Aussi longtemps que nous nous en tenions à ce type de jeu innocent, nous pouvions nous entendre assez bien, mais je prenais garde de rien lui proposer avant de sentir qu'il désirait ces moments de détente. Les choses me parurent moins difficiles que je ne l'avais craint. Naturellement, je ne devais pas dépasser certaines limites, mais en deçà nous tombions d'accord sans difficulté.

Nous faisions de la lutte, je le mettais à terre avec ménagement pour ne pas lui faire de mal, mais avec assez de conviction pour satisfaire sa fierté ; une fois même, je le laissai me battre, mais il fut si vexé de voir que je l'avais fait sciemment que je résolus de ne plus recommencer. Un jour, il réussit une belle prise et m'envoya au plancher, alors que je ne m'y attendais pas du tout, ce qui répara ma faute précédente et le fit jubiler pendant cinq bonnes minutes.

Par ailleurs, les cavernes de Bruce devaient exercer de l'attrait sur son fils. Nous les explorâmes donc, en commençant par celle dans laquelle Bruce avait découvert ses premières reliques et en terminant par celle que Dorothy m'avait décrite comme n'ayant jamais été habitée. C'était évidemment cette caverne qui intéressait le plus Crispin. Dès qu'il se mit cette idée en tête, il insista avec l'entêtement d'un enfant pour que nous la visitions sans plus attendre.

C'était une grotte de grande dimension. L'absence de belles concrétions calcaires n'y attirait pas les visiteurs. L'entrée était au milieu d'un amoncellement de rochers, dans un maigre taillis et sur la crête d'une colline à l'arrière de la maison. On y accédait en passant sous une voûte rocheuse assez basse, puis on atteignait un puits presque vertical, profond de six mètres environ. Nous nous étions munis de tout un attirail de spéléologue : torches, lampes et cordes. Méthodiquement, nous déroulions des cordes au fur et à mesure de notre progression et, pour sortir, nous n'eûmes pas plus de difficulté que s'il s'était agi de grimper le long d'une échelle. Une petite chambre succédait au puits, de forme irrégulière, et des gouttes d'eau tombaient de toutes parts. Cette chambre se prolongeait par une galerie assez grande qui longeait un gouffre. Pour continuer notre exploration, nous devions descendre le long d'une cheminée qui s'évasait vers le bas comme une oubliette. Les parois étaient humides et glissantes. L'air venant du fond était glacial.

Notre plus longue échelle de corde ne nous permettait pas de toucher le fond, mais, en en réunissant deux bout à bout, nous atteignîmes une énorme salle qui devait se trouver quinze mètres plus bas. Une paroi de cette salle était recouverte de bandes de calcaire colorées, et on ne distinguait pas le côté opposé, d'où nous parvenait un bruit assourdissant. Les parois du gouffre paraissaient abruptes, nos torches les plus puissantes ne nous permettaient pas d'en estimer la profondeur. Une rivière souterraine devait causer ce mugissement ; il n'était plus possible de continuer par cette voie.

Nous découvrîmes un tout petit tunnel et nous nous y engageâmes sur une distance de quelques mètres ; de l'air frais parvenait par cette galerie, mais le passage devint trop étroit pour moi, et j'interdis à Crispin de continuer seul. Nous fixâmes nos échelles en prévision d'une seconde exploration et nous décelâmes une cachette dans la galerie supérieure pour nos torches, nos cordes et nos vêtements boueux.

Le garçon se montrait un parfait compagnon dans une expédition de ce genre, assez raisonnable pour m'obéir sans discuter et assez courageux pour avoir au besoin des initiatives personnelles. D'après mes observations, il n'éprouvait aucune crainte ou, dans des cas pareils, sa confiance en moi, malgré nos relations de fraîche date, était grande, ce qui était très flatteur. À mon sens, rien ne valait mieux que d'entrer en conflit avec quelqu'un pour bien le connaître et juger de la confiance qu'il mérite.

Il parlait librement aussi, maintenant qu'il s'était résigné à ma présence, mais jamais il ne disait un mot de sa mère ou de son père, de Dermot Crane, des fouilles de Pirithoön ou de ses pensées intimes. Une fois seulement, lorsque je lui demandai, avec une maladresse dont je me rendis aussitôt compte, s'il désirait toujours que je m'en aille, il laissa échapper une phrase qui devait venir de son petit univers caché. Le visage grave, il me regarda avec méfiance.

– Non, il est trop tard maintenant. Vous devez tenter votre chance.

Il s'attendait sans doute que je lui pose d'autres questions ; peut-être le désirait-il, mais pour la première fois, j'eus l'impression de m'être montré indiscret de manière fort peu élégante ; aussi, je ne relevai pas le propos.

Cela s'était produit le jeudi soir, au moment où il allait se coucher. La scène du bonsoir était immuable, mais de soir en soir plus pénible à regarder, peut-être parce que ces quelques semaines d'intimité retrouvée avec Dorothy m'avaient de nouveau fait prendre conscience du prix que j'attachais à son affection. Aussi, la voir picorer tristement, presque timidement, cette fichue joue froidement offerte, en espérant une marque de chaleur qui ne lui était jamais accordée, me serrait le cœur de compassion. J'ai tenté de l'ignorer car je ressentais trop vivement l'humiliation silencieuse de Dorothy. Mais les circonstances conspiraient trop souvent à me faire le témoin de ce rituel et cela ne manquait jamais. S'il s'approchait d'elle pour qu'elle l'embrasse, j'en suis certain, c'était simplement pour lui enlever l'initiative d'un autre contact émotionnel qui aurait pu lui être encore plus insupportable. Et il en souffrait, lui aussi. C'était sans doute le plus paradoxal, mais il n'y avait pas de doute à ce sujet.

Ce soir là, Dorothy le regarda monter l'escalier, puis se retourna vers moi.

– Il va s'adoucir, n'est-ce pas ? dit-elle énergiquement, mais en s'excusant presque de son optimisme.

C'était la première fois que nous abordions le sujet depuis la scène du petit déjeuner, qui remontait pratiquement à une semaine. Je savais que j'aurais dû lui parler de Crispin, mais j'étais désormais tenu au silence par un double devoir de réserve : je ne pouvais pas plus parler de Crispin à sa mère que de sa mère à Crispin.

– Oui. Laisse-lui du temps et je suis sûr qu'il va changer, lui dis-je finalement tout en me demandant si cela arriverait jamais.

– Tu vois, je savais qu'il t'apprécierait. Tu as déjà réussi à gagner son amitié. Si seulement il pouvait en aller de même avec moi !

– Il m'a accepté jusqu'à un certain point, c'est tout. J'ignore moi-même où se trouvent exactement les limites, mais je lui fais confiance : si je les franchissais, il me le ferait savoir sans faute.

– Ma simple présence, c'est déjà trop pour lui, ajouta-t-elle tristement. Même si j'avais couché avec Tony, penses-tu que je mériterais cette haine ? Je n'arrive pas à croire que Bruce ait pu lui apprendre à me détester à ce point.

Je ne le croyais pas non plus. Puritain comme il l'était, Bruce Almond aurait été le dernier à discuter des péchés de sa mère avec son fils.

– Je suis sûr que le problème n'est pas là, affirmai-je, prêt à me parjurer pour lever ne serait-ce qu'un coin du voile qui assombrissait le visage de Dorothy. Je pense qu'il reporte sur toi le traumatisme qu'a représenté la mort de son père, parce que tu es la personne la plus proche de lui. Bien sûr, j'imagine qu'il t'en veut aussi parce qu'il sent que tu as laissé tomber Bruce, mais après toutes ces années, ce ressentiment doit s'être apaisé. Il t'a seulement prise comme bouc émissaire. Laisse-lui le temps ! Il est jeune, il finira bien par dépasser tout ça.

– Tu le penses vraiment ?

Lorsqu'elle alla se coucher à son tour, le fantôme d'un sourire habitait le violet de ses yeux ; mais c'était encore un bien triste sourire.

Je lus tardivement cette nuit-là et m'endormis sur mon livre ; ce sont les rafales de vent au-dehors qui me réveillèrent aux petites heures du matin. Ankylosé et somnolent, je traversai le salon pour rejoindre mon lit, lorsque j'entendis claquer légèrement la porte-fenêtre du jardin d'hiver. Le bruit me ranima juste assez pour que je réalise que même une rafale de vent ne pouvait faire claquer la porte-fenêtre si cette dernière était fermée ; or j'étais quasiment certain d'avoir vu Hallam, comme à son habitude, verrouiller toutes les serrures de la maison bien avant minuit.

J'allai m'en assurer et trouvai la porte verrouillée. C'est donc que quelqu'un était sorti par ici à l'instant ; pourquoi sinon la porte se serait-elle ouverte ? Mais qui était susceptible de se promener à une heure pareille ? Il n'y avait qu'une possibilité.

Crispin ne m'avait jamais convié dans sa chambre et, à l'exception de notre petite échauffourée, je n'y avais pas mis les pieds. Mais je montai à l'étage et ouvris sans hésiter la porte sur son intimité. Le lit était vide ; il ne s'y était apparemment pas couché de la nuit. Certes, ce n'était pas le premier adolescent à monter sagement dans sa chambre pour faire le mur à minuit. J'en avais fait autant à son âge. Mais d'après mes souvenirs, tout le plaisir qu'on pouvait prendre à ce type d'expédition venait de ce qu'il était partagé avec au moins un compagnon ; c'est à ce moment que je pris pleinement conscience de la solitude de Crispin : il s'était non seulement exclu de la société des adultes, mais s'était aussi coupé de la compagnie de gens de son âge. Il n'avait pas un ami au monde. Sa fugue nocturne en était d'autant plus étrange.

Mon rôle devenait très inconfortable. Étant officiellement son précepteur, j'avais une responsabilité quasi parentale envers lui, mais ce statut cadrait mal avec les termes tacites de la relation que nous avions établie. Il était de mon devoir d'attendre son retour de pied ferme et de lui passer un savon ; mais la patiente retenue dont j'avais fait preuve à son égard, en respectant le secret de ses affaires, et qui m'avait permis en retour de me faire accepter de lui, m'empêchait d'insister avec des questions auxquelles il ne souhaitait pas répondre.

Si j'avais su où le trouver, je serais parti à sa recherche ; mais sans aucun indice pour limiter le champ de mes investigations, je décidai de m'installer confortablement dans un coin sombre du jardin d'hiver pour attendre son retour. Ce fut une attente longue et pénible, surtout que l'idée qu'il pouvait ne jamais revenir me taraudait. Quand vous ignorez totalement ce qui se passe dans la tête d'un adolescent, prévoir son comportement est pratiquement impossible.

Enfin, je m'étais inquiété à tort : il rentra au petit matin, peu après 4 h 30, alors que les premières lueurs de l'aube commençaient tout juste à dissiper les ténèbres de cette nuit d'été. J'entendis le léger crissement des graviers sous ses pas prudents, suivi d'un silence presque total lorsqu'il traversa la terrasse – il s'était chaussé de caoutchoucs pour son expédition – et enfin le raclement du loquet sous la pression de ses doigts. Je longeai le mur jusqu'à la porte-fenêtre, caché par les épais rideaux et, juste au moment où il se glissait dans l'entrebâillement, posai une main sur son épaule.

Le contact de ma main le fit bondir comme un poulain nerveux et il laissa échapper une exclamation de frayeur. Puis, sans perdre un instant ni dire un mot, il se retourna et m'entoura de ses bras en m'envoyant un coup de genou. Je lui immobilisai les deux bras et

56

le tins à distance. Il se figea soudain et arrêta la lutte : il m'avait reconnu à présent. Mais pendant un moment, j'en étais sûr, il m'avait pris pour quelqu'un d'autre – Dieu seul savait qui. Je pouvais presque entendre battre son cœur, tandis qu'il reprenait le contrôle de sa respiration à mesure que sa frayeur se dissipait. Je n'étais pas censé l'avoir compris, mais il avait peur.

Je le retins par le bras le temps d'allumer la lumière. Il me regarda d'un air de défi, décidé à garder le silence, mais je savais qu'au fond de lui il restait quelque chose de l'écolier pris en faute, même s'il refusait de le reconnaître. Il passa la main dans ses cheveux et remit en place le col de son sweater avec un air de bravade que je trouvai touchant ; pourtant il continuait de me fixer du coin de l'œil, s'attendant aux inévitables questions.

– Tu vas bien ? lui demandai-je, en choisissant à dessein une question à laquelle il ne s'attendait pas.

– Bien sûr ! lança-t-il, l'indignation effaçant le dernier tremblement de sa voix, et il donna une secousse pour dégager le bras que je tenais toujours. Vous n'aviez pas à me sauter dessus comme ça !

– Et tu n'avais pas à te balader comme ça à quatre heures et demie du matin, lui répondis-je du tac au tac. Je n'apprécie pas trop les petites escapades nocturnes, alors tu pouvais t'attendre à une réaction musclée de ma part. Évidemment, si tu m'avais prévenu…

– Rien ne m'oblige à vous tenir au courant de ce que je fais, répondit-il, furieux. J'ai respecté vos heures de cours, non ? Alors ce que je fais de mon temps libre ne vous regarde pas.

– C'est un point qui reste à éclaircir, tu as raison. Pourquoi ne pas consulter ta mère afin de mettre noir sur blanc les limites de mes attributions ? Ainsi, nous saurons tous les deux à quoi nous en tenir…

Et je l'entraînai dans le salon, ce qui je l'avoue était assez fourbe de ma part, car je n'avais aucune intention de révéler à Dorothy cette petite altercation. Il se raidit et freina des deux pieds, tirant sur mon bras de sa main libre.

– *Non !* S'il vous plaît, non ! Vous ne devez rien lui dire ! Oh, bon Dieu ! Pourquoi ne me fichez-vous pas la paix ? Je ne sais jamais où j'en suis avec vous. L'autre abruti, au moins…

– D'accord, acceptai-je en m'arrêtant obligeamment. Reprenons où nous en étions. Toi d'abord. Où étais-tu ?

Je le tenais face à moi, le secouant pour bien lui faire rentrer dans le crâne le sérieux de ma question. Ma petite tentative autoritaire ne fonctionna qu'à moitié.

– Oh merde ! Dehors ! lâcha-t-il, renonçant à trouver quelque chose de crédible.

– Dehors, où ça ? Et qu'as-tu fabriqué ?

– J'ai vu une fille, si vous voulez savoir, dit-il avec une insolence malicieuse, se mettant à rougir quand j'éclatai de rire.

Telle n'était pas mon intention, mais la simple pensée de ce jeune reclus orgueilleux et solitaire sortant flirter m'avait paru aussi drôle que pathétique.

– Désolé, Crispin ; mais je mérite un meilleur mensonge que ça !

– C'est pourtant tout ce que vous aurez ! dit-il finalement, le menton tremblant de rage contenue. Écoutez, si vous voulez absolument jouer au précepteur, alors faites-le, bon sang ! Donnez-moi des devoirs, ou des punitions, ou même une raclée si c'est ce que vous voulez… j'accepterai ! Mais laissez ma mère en

58

dehors de ça ! Et abrégez votre sermon ! Je suis fatigué.

Je le repoussai doucement sur une chaise et me plantai devant lui.

– Maintenant, écoute, Crispin, dis-je avec le plus grand sérieux. Nous savons tous les deux que tu caches quelque chose. Nous savons tous les deux que tu n'es pas sorti cette nuit pour t'amuser ou te payer du bon temps. Tu ne veux pas que je fouine dans tes affaires, et je n'en ai aucune envie non plus. Je ne te pose pas de questions. Je te donne ma parole que je n'en poserai pas. Je veux juste que tu réfléchisses à tête reposée à la possibilité de partager ce secret avec moi.

Il secoua la tête de droite à gauche, comme s'il voulait échapper à mes paroles.

– Je voudrais… commença-t-il d'une voix perdue, puis il se reprit et explosa : Je voudrais que vous ne soyez jamais venu. Je voudrais que vous partiez ! Laissez-moi seul !

Il était inutile d'essayer de le pousser plus loin. Je le soulevai de sa chaise et le conduisis dans le hall, lui donnant une tape dans le dos en bas de l'escalier.

– Va te coucher. Et ne t'inquiète pas, je ne parlerai pas à ta mère de tes petites sorties. Va dormir ! Veux-tu que je te monte ton petit déjeuner demain, pour une fois ?

– Non, répondit-il durement sans tourner la tête ; puis, deux marches plus haut, d'une voix radoucie : Merci.

V

Le lendemain matin, juste avant le déjeuner, Dermot Crane arriva dans une petite Austin. Je ne m'attendais pas à voir Crispin se joindre à nous sur le seuil pour former le comité d'accueil, mais, à ma surprise, il était là, bien présent, d'une manière presque menaçante, les yeux cernés à cause de sa trop brève nuit de sommeil. Quand Dorothy l'appela, d'une voix mi-autoritaire, mi-implorante, il s'avança, adolescent respectueux de ses devoirs envers ses parents, une expression de froide courtoisie sur son visage ouvert et juvénile. Son attitude était tout à fait impersonnelle, convenant aussi bien à ses ennemis qu'à ses amis.

Crane était un homme d'une quarantaine d'années, de forte stature, excessivement soigné, athlétique et très séduisant. Ses manières étaient réservées, sauf envers Dorothy. Il jeta à Crispin un regard rapide, mais pénétrant, et je crois qu'il lui aurait serré la main si le garçon n'avait gardé ses distances et ne lui avait fait son petit salut guindé du haut des marches. En les observant, je pensai qu'ils devaient très bien se connaître tous deux ; ils avaient participé ensemble aux fouilles de Pirithoön pendant au moins deux mois et devaient avoir noué certains liens, peut-être plus étroits que cette rencontre ne l'indiquait, ou plus tendus ; mais leurs rapports avaient certainement été plus libres.

– Salut, Crispin, comment vas-tu ? Je suis heureux de te revoir !

– Moi aussi, je suis content de vous revoir, Dermot, répondit le garçon.

On sentait qu'il était sincère, car il avait prononcé ces mots avec chaleur, mais la différence de ton qu'il avait tenu à marquer entre son expression de plaisir et celle de Dermot ne m'échappa pas. Je commençais à discerner avec précision toutes les subtilités du caractère de Crispin.

J'aidai le visiteur à retirer ses bagages de la voiture, et nous l'installâmes dans une des grandes chambres de devant. On voyait qu'il connaissait la maison, y ayant séjourné du temps où Bruce vivait encore. Il se rafraîchissait la mémoire tandis que nous montions l'escalier et parcourions le grand corridor de l'étage.

– Voici la chambre que Bruce a toujours occupée ; je m'en souviens. Il aimait contempler la ville de sa fenêtre.

– C'est maintenant la chambre de Crispin, dit Dorothy en ouvrant la porte un instant, laissant entrevoir cette pièce désormais curieusement impersonnelle. Il adorait son père... j'ai voulu qu'il ait tout ce qui avait jadis appartenu à Bruce.

– Comment se fait-il à sa nouvelle existence ? demanda Crane, alors qu'elle refermait la porte. S'habitue-t-il à la vie sans son père ? Il a toujours été un garçon raisonnable, plus vieux que son âge... du moins quand il s'agissait de choses sérieuses. J'espérais qu'il se sentirait bien une fois que vous l'auriez

61

ramené chez vous. Il m'a l'air d'aller bien. A-t-il surmonté cette épreuve ?

Dorothy était très désireuse de parler de son fils et des difficultés qu'il éprouvait à s'adapter à sa nouvelle vie. Je les laissai seuls et, peu de temps après, je la vis redescendre, apaisée et réconfortée ; elle avait dû lui raconter toute l'histoire. Après tout, il n'y avait pas de raison pour qu'elle n'agisse pas ainsi. Crane était un de leurs amis intimes et, contrairement à moi, il était au courant de tous les détails tragiques de Pirithoön. Néanmoins, je ressentis une pointe de jalousie à la pensée qu'elle s'était confiée à lui.

Le téléphone sonna au moment où Dorothy arrivait au pied de l'escalier. Elle décrocha le récepteur d'un geste distrait, s'attendant à une communication anodine, mais l'instant suivant elle s'anima d'étonnement et de plaisir.

– David ! Quelle coïncidence ! Où êtes-vous ? Oui, naturellement, venez, nous serions très mécontents du contraire. Non, bien sûr, vous ne nous dérangez pas ! Devinez qui est ici... Dermot Crane ! Oui, il vient d'arriver il y a une heure environ, pour le week-end. Oui, venez donc, David, il sera content de vous voir, et nous aussi. Prenez un bus ! Il vous déposera devant la maison. Ça me fera tellement plaisir de vous revoir.

Quand elle raccrocha, Crispin se tenait dans l'embrasure de la porte de la bibliothèque, ses grands yeux noirs ronds d'étonnement.

– David ? Avez-vous dit David ?

– Oui, n'est-ce pas étrange qu'il se manifeste lui aussi ?

– David Keyes ?

– Nous ne connaissons pas d'autre David. Il se rendait dans le nord de la Cornouailles pour y passer le week-end, mais sa moto est tombée en panne, et elle ne sera réparée que demain. Il est bloqué à Wells et m'a demandé s'il pouvait nous rendre visite puisqu'il est tout près d'ici. Je lui ai dit de venir passer le week-end avec nous.

– Ce sera une vraie réunion, il me semble, dit Crispin.

– Dermot sera enchanté, dit Dorothy. Je vais demander à Mme Hallam de préparer une autre chambre.

Dorothy nous quitta, et Crispin resta planté là, le visage impassible, les yeux tournés pensivement dans la direction qu'elle avait prise.

– Ce David faisait-il aussi partie de l'équipe de votre père à Pirithoön ?

– Le dernier mois seulement. Il prépare une licence à l'université de Londres. Il était seul en Grèce jusqu'au jour où il demanda à mon père de se joindre à notre groupe pour participer aux fouilles.

– Voici une chose à laquelle vous ne vous attendiez pas, dis-je, me hasardant à un jugement pour lequel j'avais bien peu de données.

– Non, admit-il avec un long regard. Je ne m'attendais à voir aucun de ces deux hommes.

Puis il fit volte-face et sortit dans le jardin. Il ne revint que lorsque je l'eus appelé pour le déjeuner.

Tout au long du repas, je remarquai que Crane suivait de près les gestes de Crispin et écoutait attentivement toutes ses paroles. Il faisait de son mieux pour faire sortir le garçon de sa réserve et établir un lien avec lui, ou peut-être, plus précisément, pour renouer les relations antérieures. De son côté, Crispin se montrait gai et sociable, mais tellement étudié qu'à certains moments il semblait se moquer de notre visiteur, ce qui me troubla profondément. Il parlait sans aucune gêne, mais se bornant à des banalités, tout en ne quittant pas des yeux Dorothy ni Dermot, qu'elle avait placé à sa droite. Leur attitude était toute naturelle ; en fait, d'un commun accord, ils s'occupaient beaucoup plus de Crispin que d'eux-mêmes. S'ils donnaient à penser qu'ils avaient eu un long entretien privé à son sujet, c'était là leur seul secret. Cependant, on sentait que sa gaieté, toute factice, dissimulait une barrière qu'il avait dressée entre eux et lui.

Une lueur perça lentement dans mon esprit. Ce n'était pas le manque d'affection pour sa mère qui tourmentait Crispin ; il éprouvait un sentiment plus complexe. Car il était jaloux des hommes qui l'approchaient et ne voulait pas qu'on l'écarte d'elle : en fait, il l'adorait. Cela expliquait le sort de mon prédécesseur, ainsi que son attitude ambiguë envers moi, quoiqu'il m'ait accepté. Personne ne devait la toucher, personne ne devait l'admirer. Personne ne devait partager les attentions qu'elle lui témoignait. J'aurais dû pressentir cette explication. Une telle réaction était bien naturelle de la part d'un garçon fort avancé pour son âge, qui, à quinze ans, faisait la connaissance de cette créature éblouissante qu'était sa mère.

Les choses étant ce qu'elles étaient, nous nous trouvions tous dans une situation difficile et délicate. Mais une fois qu'on l'avait comprise, il y avait moyen d'en sortir. Cela demanderait beaucoup de tact et de patience, ainsi qu'une grande adresse, mais c'était possible. Je poussai un soupir de soulagement, car Crispin avait perdu en un instant tout son mystère et se trouvait réduit à une petite figure pitoyable, beaucoup plus en rapport avec son âge.

J'aurais dû mieux réfléchir. Jamais de ma vie je n'avais été si sûr d'avoir raison, sans redouter que les événements futurs ne viennent infirmer mon premier jugement.

VI

David Keyes arriva au milieu de l'après-midi. Tenant à la main une petite valise, il marchait à grands pas avec une énergie et une ardeur extraordinaires. Le soleil archéologique qui avait tanné Dermot Crane avait bronzé Keyes. Les cheveux châtain foncé de David étaient bouclés sur le front. Son âge était indéfinissable, comme c'est souvent le cas pour les étudiants. Je lui aurais donné vingt-huit ans mais je pouvais bien me tromper de quelques années en plus ou en moins. Plus petit que Crane, et beaucoup moins remarquable, il était fort sympathique et possédait à un haut degré cette allure franche et décidée qui plaît si souvent aux femmes.

Du coin de l'œil, j'observais Crispin, qui ne s'était attendu à les voir ni l'un ni l'autre. Son visage ne laissait paraître aucun sentiment, et c'est d'un ton affable, un sourire poli sur les lèvres, qu'il accueillit ce nouveau visiteur.

– Salut, David ! Comment allez-vous ?

– Je suis sale et j'ai chaud, dit David cordialement, reculant d'un pas en levant ses mains tachées de cambouis, évitant adroitement ainsi l'embarras de serrer la main de Crispin. Ne me touchez pas avant que je ne me sois lavé les mains. J'ai essayé de réparer ma vieille moto, mais c'est elle qui a fini par avoir le dessus.

Comme Dorothy s'avançait dans le hall, il se retourna gaiement, faisant des gestes enthousiastes comme s'il voulait l'enlacer tout en lui montrant bien ses mains noircies pour la tenir à distance.

– Madame Almond, comme c'est charmant de votre part ! Je crains d'abuser de votre gentillesse ; tomber du ciel comme cela, à l'improviste !

Elle lui adressa un sourire affectueux et direct, ce qu'elle n'aurait pas accordé, je crois, à quiconque aurait troublé sa tranquillité d'esprit. Mais que pensait Crispin de ce sourire ?

– Ne soyez pas ridicule, David, vous savez très bien que vous êtes toujours le bienvenu. Il y a longtemps que j'espérais votre visite.

– Je n'aurais pas espéré un accueil si aimable après de si brèves relations. Et puis, je me doutais que vous deviez être assez occupée à démêler les affaires de Bruce.

« Les affaires de Bruce concernent surtout Crispin », pensai-je ; j'aurais d'ailleurs parié que Crispin avait la même idée.

– Avez-vous déjeuné ?

– J'ai mangé des sandwiches avant de pousser cette satanée moto sur un bon kilomètre jusqu'au garage.

– Pauvre David ! Il faut que je m'arrange pour qu'on vous prépare un thé substantiel. Dermot est quelque part dans le jardin et ne doit pas vous avoir vu arriver. Allez vous changer et mettez-vous à l'aise. Quand vous serez prêt, je crois que le thé sera servi.

Je l'accompagnai jusqu'à sa chambre. En chemin, il se montra volubile. Je crus qu'il ne s'arrêterait jamais de me parler de Bruce et de Pirithoön, du compagnon merveilleux qu'il avait été, de la femme extraordinaire qu'était Dorothy et du garçon non moins épatant qu'était Crispin, au point que je me demandai s'il était possible de rencontrer quelqu'un de plus généreux que lui dans ses sentiments.

– Où en sommes-nous ? demanda-t-il soudain. Avez-vous déjà parlé de ce qui s'était passé dans le Péloponnèse ? Devant l'enfant, je veux dire ?

– C'est une discussion que nous n'avons pas encore eue. Du moins depuis que je suis ici.

– Éviter à tout prix d'en parler serait peut-être une erreur, dit-il avec une clairvoyance qui m'étonna. Il était dans un état d'hébétude alarmant quand elle a quitté la Grèce avec lui, vous savez. On aurait dit un automate : lucide, intelligent, conscient, mais il ne se serait confié à personne. Il ne devrait pas entretenir ce traumatisme pendant toute sa vie, avec un entourage qui conspire à créer autour de lui un monde artificiel dans lequel Bruce ne serait pas mort, mais se serait évanoui doucement et d'une manière presque féerique. Mme Almond s'est montrée trop nerveuse avec lui depuis le début. J'ai toujours pensé que c'était une erreur.

– Essayez de lui faire entrevoir la vérité, lui suggérai-je. En tout cas, je ne crois pas que le sujet puisse être évité lorsque Crane et vous serez ensemble. Personnellement, je n'ai jamais eu l'occasion d'aborder ce sujet. Je ne sais pratiquement rien de cette affaire ; j'ignore même où se trouve Pirithoön.

– C'est dans le Péloponnèse, dans les montagnes de l'Argolide, pas loin de Mycènes. On y trouve aussi des traces de murs monumentaux, mais sur une plus petite échelle. Bruce entaillait la montagne, en dehors de l'enceinte de la ville ; il était convaincu qu'il y trouverait des tombeaux, des tombeaux « homériques » plus précisément. Pour être honnête – et ne croyez pas que je veuille dire du mal de Bruce maintenant qu'il est mort, mais c'était notoire, tout le monde vous le dira – tous les tombeaux que Bruce découvrait dans cette localité devenaient automatiquement des sépultures homériques, et n'importe quel petit fragment de pectoral ou de pendentif en or était, sans aucun doute possible, une relique des joyaux de Cassandre ou de Clytemnestre. Il était comme cela. On a fait quelques découvertes : quelques poteries et autres objets, rien de bien important. Mais nous venions de mettre au jour ce qui paraissait être l'entrée d'une assez grande salle. Vous voyez le genre : une descente par un passage en pierres taillées, une entrée surmontée d'un linteau, et cette dalle triangulaire au-dessus du linteau, comme à Mycènes, mais moins massive. Il était encore trop tôt pour se prononcer, nous n'avions découvert que la partie supérieure de la porte et soulevé des débris de l'entablement. Personnellement, je n'aurais pu situer chronologiquement cet édifice, mais Bruce était certain qu'il datait de 1200 avant Jésus-Christ. Dermot aussi avait des doutes, je le sais. Mais les hommes de l'équipe de Bruce auraient continué avec lui, même s'ils avaient estimé que la découverte avait peu de valeur ou s'ils avaient douté de son jugement. C'était un homme qui provoquait ce genre de sentiment. Vous n'auriez pas voulu le décevoir en lui faisant part de vos idées, sauf en des termes très mesurés. Vous auriez eu l'impression de faire de la peine à un enfant.

69

Cela cadrait parfaitement avec ce que Dorothy m'avait dit de lui. Il semblait que, même sur les hommes, son charme avait eu prise.

– Mais les gosses, eux, n'hésitaient pas à montrer leur scepticisme, dit David en souriant.

– Les gosses ?

– Crispin et Nikos, le fils du chef d'équipe. Ils ne s'en cachaient pas et prenaient l'affaire à la rigolade. Naturellement, ils devaient être quelque peu blasés de toutes ces vieilles pierres ! De toute façon, ils ne partageaient pas l'enthousiasme de Bruce pour sa découverte et ne croyaient pas qu'il s'agissait là de vestiges si anciens. Un jour même, Bruce prit très mal une plaisanterie qu'ils lui ont faite à ce sujet.

– Mme Almond, dis-je, nourrit l'illusion que Crispin adorait son père.

Le gaillard était beaucoup plus clairvoyant que je ne le pensais.

– Oh ! bien sûr, m'assura-t-il, surpris. Et ce n'est pas une illusion : il l'adorait réellement, mais il le trouvait un peu fou.

À la réflexion, cela me paraissait une attitude tout à fait naturelle ; il devait certainement être du même avis.

– Comment s'est produit l'accident de Bruce ? demandai-je. Tout ce que je sais, c'est qu'il a été écrasé par la chute d'un linteau. Était-ce celui du tombeau qu'il mettait au jour ?

– Non, c'est arrivé plus haut, sur la colline. C'est la porte de sortie vers la petite acropole qui s'est effondrée sur lui. La citadelle est une ruine complète, il reste très peu de choses à voir, à part cette porte et quelques reliques sur les murs. La porte était dans un état très précaire, nous le savions, quoique j'aie été assez surpris qu'elle se soit écroulée de cette façon.

Il était très tard quand l'accident s'est produit et il n'y a pas eu de témoin. Bruce était seul à ce moment, nous étions tous au lit, et la plupart dormaient. Nous habitions dans plusieurs maisons du village et à l'auberge, mais Bruce avait loué une toute petite villa près des fouilles, dans laquelle il logeait avec son fils et Crane. Je crois que Bruce avait l'habitude de se promener seul le soir à Pirithoön. Son esprit romantique devait peupler l'endroit de royautés homériques de trois mètres de haut. Le vacarme a réveillé Crane, qui s'est levé et est parti dans la direction d'où était venu le bruit ; il a découvert Bruce mort sous la pierre avec Crispin agenouillé à ses côtés. Il était écrasé des hanches aux épaules, le linteau reposant en diagonale sur son corps. Crane a dit à l'époque qu'en s'éveillant il avait pensé que l'endroit avait été secoué par un petit tremblement de terre, puis il s'était rendu compte qu'il n'y avait eu qu'un seul choc distinct. On avait perçu la vibration jusqu'au village.

– Qu'était-il arrivé ? La police a-t-elle fait une enquête ?

– Oh oui ! Ils ont tout de suite pris l'affaire en main, mais il n'était que trop facile de reconstituer l'accident ; tout le monde savait que l'endroit était dangereux. Mme Almond est arrivée immédiatement d'Athènes et a emmené le garçon, qui était dans un état bizarre : trop calme et trop tendu à la fois. Avant tout, il fallait qu'il quitte ces lieux. Elle a laissé Crane s'occuper de tout à Pirithoön et est retournée en voiture à Athènes avec Crispin le jour suivant. Nous avons enterré Bruce au village ; nous avons pensé que c'était ce qu'il aurait désiré.

– Et les fouilles ?

Il sourit.

– Sans Bruce, il ne pouvait y avoir de fouilles. C'était de son argent que vivait l'expédition ; il pouvait le dépenser sans compter sur un emplacement peu prometteur s'il le voulait, mais personne d'autre n'avait suffisamment de conviction ou de fortune pour continuer la tâche entreprise, même si les autorités avaient donné leur accord, et je doute qu'elles aient été très disposées à le faire. Une tragédie comme celle-là suffisait. Non, la mort de Bruce a mis un point final aux fouilles. J'ai quitté le village peu de temps après. Crane est resté pour mettre de l'ordre sur le terrain et régler les affaires de Bruce dans la région. Le tombeau et le passage qui avait été mis à nu ont été laissés dans le même état.

Je songeai à Bruce Almond, ou à ce qui était resté de lui, enterré là dans les collines tourmentées de l'Argolide que je ne connaissais que d'après des photographies. Il me semblait que cette mort, apparemment absurde, devait au moins avoir un sens, surtout là, dans l'ombre monstrueuse de Mycènes où les cruautés les plus sanglantes trouvaient leur place comme les éléments essentiels d'un modèle de grandeur et de beauté significatives. Il paraissait impossible que cette histoire se réduise à cet accident banal.

Je redescendis, laissant David à sa toilette, pour laquelle il prit tout son temps. Trois quarts d'heure s'écoulèrent avant qu'il ne vienne nous rejoindre dans le jardin. Frais, avec sa chemise à col ouvert, il avait tout d'un très jeune homme. Il se confondit en excuses pour s'être tant attardé.

C'était un bel après-midi ensoleillé, et le cercle que nous formions avec nos fauteuils pliants, une tasse de thé à la main, devait faire penser à une idylle à l'été anglais. Notre conversation même aurait pu figurer en grande partie dans une comédie, tant elle était innocente et presque irréelle. Personne ne devait lancer la discussion sur les événements pourtant proches de tous. On parla bien de Pirithoön, mais seulement pour citer l'endroit où avaient été trouvées certaines poteries, et ce, au cours d'un bref échange de vues sur l'archéologie. Je ne pris aucune part à la conversation, me bornant à écouter attentivement les autres et à émettre de temps en temps les petites interjections appropriées. J'étais bien trop occupé à les observer tous, à l'affût d'un regard, d'une parole significative, d'une intonation secrète qui donnerait un sens à cette situation confuse. Ma patience ne fut pas récompensée.

Peu après le thé, Dorothy emmena ses visiteurs pour leur montrer les parterres et les arbustes, et je me dirigeai vers la maison pour chercher des cigarettes. Crispin me regarda de son fauteuil et me demanda alors, de façon inattendue :

– Vous montez ? Voudriez-vous me rapporter mon appareil photo ? Il est dans mon bureau, le tiroir du haut.

Il s'agissait du grand bureau ancien qui avait été autrefois celui de Bruce. C'était la première fois qu'il faisait une telle requête et, à ma surprise, il ne marqua aucune hésitation. J'eus soudain l'impression d'être la première personne à qui il s'adressait sans réserve ni calcul depuis la mort de son père. Peut-être s'était-il laissé aller ; sans doute se reprendrait-il aussitôt et se retrancherait-il dans sa tour d'ivoire.

Mais c'est le contraire qui se produisit : j'avais pratiquement traversé la pelouse quand il me rappela et me rejoignit en courant :

– J'avais oublié. Le tiroir est fermé. Vous en aurez besoin.

Et il me tendit une petite clé qui avait aussi appartenu à Bruce ; il la déposa dans ma main avec une curieuse maladresse.

Son geste semblait n'être en rien calculé ; c'est ce qui faisait son prix. Il marquait un pas supplémentaire dans notre relation, me dévoilant ses trésors sans une hésitation. Je me sentis à la fois honoré et accablé par cette confiance, car je devinais que les confidences de Crispin, une fois qu'il se serait décidé à ouvrir son cœur, seraient bien lourdes à supporter.

Le bureau était un meuble massif en acajou dont l'abattant s'ouvrait vers l'arrière. Je glissai la clé dans la serrure, puis tournai, mais elle se bloqua. Doucement j'essayai de la faire jouer, tâtant le mécanisme assez maladroitement, mais elle refusait de tourner. Ce n'est qu'avec une certaine force que je parvins à dépasser le point d'obstruction ; elle grinça alors, et l'abattant s'ouvrit.

Cette serrure avait besoin d'être réparée. Le meuble était en si bon état qu'un tel défaut à une de ses parties essentielles me paraissait étrange. J'examinai avec soin le bois au pourtour de la serrure et y remarquai de petites griffures, assez parlantes. Je regardai à l'intérieur, mais tout était bien rangé comme si on n'y avait jamais touché. Celui qui l'avait fouillé avait dû voir d'un coup d'œil si ce qu'il cherchait s'y trouvait ou non : rien n'avait dû être dérangé dans un ordre si parfait.

Je laissai là mes recherches, j'en savais assez. Je retrouvai Crispin qui m'attendait au bord de la pelouse, les yeux pensifs et fixés sur les trois silhouettes qui marchaient lentement dans l'allée.

– Monte avec moi, dis-je, je voudrais te montrer quelque chose.

Il me suivit aussitôt, sans me poser de question. Je crois qu'il s'attendait à un événement sans trop savoir lequel. Il tourna la clé, comme je le lui demandais, et, lorsqu'elle se coinça, son expression se durcit tandis que ses yeux sombres brillaient. Il examina à son tour l'entrée de serrure et comprit tout de suite. Sans un mot, il jeta un rapide coup d'œil aux objets du dessus, puis ouvrit les tiroirs les uns après les autres. Il s'assit ensuite sur le lit, les mains posées sur les genoux, et me regarda fixement.

– J'espère que ce qu'on recherchait ne se trouvait pas dans ce bureau ?

– Non, dit-il d'une voix basse, il n'était pas dedans.

– Sans vouloir m'occuper de ce qui ne me regarde pas, je me demande, et c'est bien naturel de ma part, qui est le visiteur qui a fouillé vos affaires avec tant d'adresse. Ce matin, Crane est resté seul en haut assez longtemps. Mais Keyes a fait de même cet après-midi avant le thé. Lequel, à votre avis, aurait pu forcer la serrure de votre bureau ?

– J'aimerais le savoir, dit Crispin de la même voix.

– Vous saviez qu'un seul visiteur était attendu, et si Keyes n'était pas arrivé à l'improviste, la question aurait été réglée, mais maintenant qu'ils sont deux dans la maison, vous n'êtes pas plus avancé… quelle que soit la question que vous vous posez.

Il ne dit rien et, assis, les poings serrés appuyés fortement contre ses cuisses, il me regarda fixement de ses yeux noirs tristes et pensifs, le visage impassible. Ma présence l'ennuyait. J'en savais trop et pas assez ; il ne pouvait se débarrasser de moi ; pourtant, au fond de lui-même, il cherchait mon aide. Désespérément, il désirait que je vienne à son secours, ne pouvant rester seul une minute de plus.

– Si tu veux que je me taise et que je m'en aille, tu n'as qu'un mot à dire. Mais je serai toujours disponible si tu as besoin de moi.

– Non, dit-il, je ne peux plus continuer à recevoir sans rien donner en échange. Non… ne partez pas, Evelyn.

L'effort qu'il faisait pour abattre la barrière qu'il avait dressée entre nous lui coûtait tant qu'il n'avait pas dû remarquer qu'il m'avait appelé par mon prénom. Mais il l'avait fait, c'était la première fois, et nos relations devaient s'en trouver changées pour toujours.

– Vous ne me laisserez pas en plan, dit-il en s'arrachant les mots du plus profond de son être ; alors il faut que je vous dise… au moins l'essentiel, pour que vous puissiez vous tenir sur vos gardes. J'ai voulu vous faire partir. C'était mon combat. Je l'ai commencé et poursuivi, je voulais qu'il ne fasse de tort à personne. Mais vous n'avez pas voulu partir, et maintenant il est trop tard.

– Je ne me plains pas, dis-je, et tu ne dois pas te sentir responsable de moi. Comme tu l'as dit, tu m'as donné cent raisons de m'en aller, et je n'en ai pas profité. Il ne tient qu'à toi de me confier ce que tu juges bon.

– Bien sûr, vous avez raison : David Keyes ou Dermot Crane a ouvert mon bureau. L'un d'eux a dû fouiller toute la chambre aussi. Ce qui n'a guère d'importance, parce que ce qu'ils cherchaient n'y est pas. Seulement, l'ennui, c'est que nous ne sommes pas plus avancés : nous ne savons pas lequel des deux est entré ici.

Il soupira et se tortilla, mal à l'aise. Il avait perdu l'habitude de se confier et il devait faire un gros effort

76

pour vaincre sa réserve. Pourtant on voyait bien qu'il mourait d'envie de me parler. Je vins à son secours :

– Que cherchait-il donc ?

Crispin me regarda soudain avec un pauvre sourire.

– Quelle est la chose qui attire toujours les gens ? Il cherchait de l'or !

VII

Ce n'était pas une plaisanterie ; il ne plaisantait pas à propos de l'énorme fardeau qu'il portait sur les épaules ; c'était trop important pour s'en moquer. La seule chose qu'il se permit se limita à un regard ironique de côté, comme s'il s'efforçait de contempler avec les yeux d'un étranger ce qui le touchait de trop près.

– L'or de Pirithoön, dis-je.

Ce n'était pas une question, mais plutôt ce que je pensais tout haut : oui, ce devait être cela.

– Oui, dit Crispin, près des ruines de Mycènes, qui regorgeaient d'or. Ils devaient l'avoir pillé dans tous les pays de l'est de la Méditerranée pour en avoir eu tant : ils en décoraient les murs de leurs tombeaux ; leurs morts avaient le visage recouvert de feuilles d'or, ils portaient des bracelets et des pectoraux en or. Toute leur histoire était faite de sang et d'or. Pourquoi serait-ce différent aujourd'hui ?

Jusqu'alors, il se parlait à lui-même, non à moi. Il ramena les genoux contre sa poitrine et les entoura de ses bras, puis se balança doucement au bord du lit. J'attendais. Enfin, il allait se décider à me parler, et son élocution deviendrait plus facile.

– C'est Nikos et moi qui sommes à l'origine de toute l'affaire. Nikos était le fils de Stavros et était de deux ans plus jeune que moi ; aussi passions-nous le plus clair de notre temps ensemble. Nous étions tellement blasés de toutes les antiquailles que nous ne pensions qu'à nous amuser aux dépens des autres. Bruce avait découvert quelques objets et les avait expédiés à Athènes, où se trouvait le professeur Barclay... Le connaissez-vous ? Il faisait des recherches à l'université, et c'est un expert en culture mycénienne. Tout ce que nous trouvions lui était envoyé, même si ses réponses étaient la plupart du temps loin d'être encourageantes. Bon. Voilà que Bruce avait mis au jour un couloir de pierre qui s'enfonçait en pente douce dans les collines à l'extérieur des murs de la ville ; il était convaincu d'être tombé sur un nouveau mausolée à compartiments multiples comme les grandes tombes de Mycènes. Ils ont creusé un passage qui leur a permis d'arriver à ce qui paraissait être l'entrée d'une salle, mais l'ouvrage s'était en grande partie effondré, et la grosse dalle qui fermait la partie supérieure de la porte était brisée. Le passage n'était pas suffisamment déblayé pour qu'on puisse creuser une entrée dans cette salle, mais la dalle cassée laissait une petite ouverture dans le haut. Elle était trop petite pour livrer passage à un homme, mais assez grande pour un enfant.

« Nikos et moi ne pensions pas qu'il s'agissait d'un tombeau. D'habitude, pendant la journée, nous restions loin des fouilles, mais un soir nous nous sommes trouvés tout près ; personne ne nous chassait de l'endroit, et puis il y avait cette ouverture dans la dalle... Nous nous sommes dit que nous pourrions aller jeter un coup d'œil à l'intérieur. Nous sommes allés chercher une corde, parce que celui qui entrerait devrait sans doute se laisser descendre d'assez haut pour atteindre le sol de la chambre. C'est Nikos qui est entré : il était plus léger et plus mince que moi. Il s'est enfoncé et je ne l'ai plus vu pendant que je faisais le guet et que je tenais la corde. Il avait, bien entendu, une torche avec lui, mais il a dû avoir la trouille une fois à l'intérieur, parce qu'il n'a pas osé faire plus que quelques pas dans le passage qui conduisait à la chambre. Il m'a crié qu'il allait sortir, alors j'ai tiré sur la corde pour l'aider.

Il était étrange de constater à quel point Crispin avait retrouvé son langage d'enfant au récit de sa dernière aventure de jeunesse, cette jeunesse dans laquelle il s'était réfugié ou qu'il avait rejetée, suivant ses caprices, pendant les années d'insouciance passées avec Bruce. Il revivait cette aventure qu'il avait partagée avec Nikos, tour à tour effrayé et audacieux dans l'obscurité d'une soirée de printemps, au milieu d'un tas de débris qui avaient peut-être été un tombeau. Je pouvais presque percevoir leurs rires étouffés que provoquaient les lubies de leurs aînés. Il devait avoir douze ans à l'époque.

– Il m'a dit qu'une partie de l'ouvrage s'était effondrée et qu'il y avait un tas de décombres dans le fond, mais qu'un passage menait effectivement à une salle. Il n'en avait vu que l'entrée et le grand trou obscur au-delà, parce qu'il avait la frousse et qu'il voulait sortir de là au plus vite. Mais il n'est pas revenu les mains vides. Il ramenait un morceau de métal tout cabossé, il m'a dit qu'il l'avait cogné du pied et entendu tinter en se rapprochant de la corde, puis l'avait empoché. Je crois qu'il l'avait plus abîmé encore durant sa remontée. Il avait la forme d'un oiseau stylisé, comme ça… un corps allant en s'amincissant vers le milieu et de chaque côté, un morceau de métal triangulaire, en forme d'aile, comme ça ; et sur le dessus une bande de sept ou huit centimètres de largeur, en travers des ailes et du corps.

L'index fin de Crispin traçait des lignes sur le couvre-lit, montrant une bande d'environ trente centimètres de long avec les deux ailes et la pièce centrale en forme de poignard qui les réunissait.

– C'est ce dont elle avait l'air quand on l'a dépliée en faisant bien attention ; avant ça, elle était à moitié enroulée sur elle-même comme une bague de cigare, pliée et cabossée par endroits. Sa couleur était sombre, comme celle de la terre, mais quand nous lui avons rendu sa forme, nous avons remarqué des traits brillants et très fins comme on en voit sur les modèles. Le métal était très tendre, et de l'ongle, par exemple, on pouvait faire le même genre d'entailles brillantes.

« Nous ne pensions pas avoir fait là une découverte extraordinaire : l'objet paraissait avoir peu de valeur. De toute façon, nous ne croyions pas que l'endroit était bien choisi et n'en attendions rien. Cependant, nous mourions d'envie de faire quelque chose, aussi avons-nous emporté l'objet. Après l'avoir très soigneusement aplati, nous y avons gravé, sur la surface, quelques beaux dessins, avec des spirales et des lignes entrelacées, le genre de motifs qu'on retrouve d'habitude sur les vestiges de Mycènes ; bref, on était parvenus à le faire passer pour un ornement pectoral assez authentique. Après ça, j'allai, plein d'espoir, le porter à Bruce en lui expliquant où nous l'avions trouvé.

« Il a avalé la chose d'un bloc comme je l'avais prévu. C'était un tel optimiste qu'il ne pouvait s'empêcher de voir tous ses rêves se réaliser. Il a appelé

Dermot et David pour leur faire partager son enthousiasme et, après avoir raconté à propos de cet objet une histoire qui s'étendait sur cinq siècles, il a demandé à Dermot de l'enfermer dans le coffre-fort. Il avait du mal à s'en séparer tant il était transporté de bonheur par cette découverte. Nous avions bien du mal à nous retenir de pouffer, alors nous sommes descendus au village et y sommes restés le reste de la journée ; sans ça, nous aurions avoué notre supercherie.

« Mais le jour suivant, une mauvaise surprise nous attendait à notre lever : Bruce avait emballé l'objet et avait envoyé David en personne à Athènes pour qu'il le remette au professeur Barclay afin de connaître son opinion. Nous n'avions pas voulu que la plaisanterie aille si loin, et si seulement le pauvre vieux Bruce n'avait pas été si pressé de voir partir Dermot avant l'aube avec l'objet, nous aurions pu l'empêcher de se couvrir de ridicule. Nous nous étions moqués de lui et avions ri de son enthousiasme, mais nous n'aurions pas voulu le ridiculiser auprès d'un expert. Aussi longtemps que la chose se passait pour ainsi dire en famille, tout était parfait. Mais surtout pas d'experts ! Bruce était leur cible favorite, et nous étions honteux de penser que nous leur avions donné des munitions pour tirer sur lui. Mais il était trop tard, nous ne pouvions plus rien. David était déjà parti.

« Vous savez ce qu'il se passe dans de pareils cas : quand une menace plane au-dessus de vous, dit Crispin avec des yeux presque implorants, vous essayez de vous convaincre que ça s'arrangera et que, par miracle, le désastre ne se matérialisera pas, mais c'est toujours peine perdue. Cette fois-là, j'ai cru pourtant que le miracle se produirait : le professeur Barclay n'a renvoyé aucune réponse au cours des deux jours suivants, et David n'avait rien à nous apprendre, parce qu'il n'avait fait que remettre l'objet, le professeur étant absent à son arrivée. Mais peu après, il y eut cette lettre d'Athènes qui est arrivée au déjeuner, et j'ai compris que nous étions cuits. Sur le moment, Bruce n'a rien dit, mais son visage m'en a appris suffisamment long et, quand il a montré la lettre aux autres membres de l'expédition, je me tenais assez près d'eux pour en comprendre l'essentiel. Il allait falloir avouer : j'étais responsable. Je ne peux pas me rappeler exactement si cette idée lumineuse avait germé dans l'esprit de Nikos ou dans le mien, mais je crois que c'était dans le mien, et, de toute façon, nous étions dans le bain jusqu'au cou.

Je ne pouvais entièrement partager le sentiment de culpabilité qu'il éprouvait envers un père qui aurait certainement dû en savoir plus long que deux garçons sur les reliques de Pirithoön. Je le dis à Crispin, qui hocha la tête avec énergie ; il connaissait son père comme bien peu de fils.

– Oh, non ! Bruce était tellement naïf… Vous ne pouvez pas l'imaginer si vous ne l'avez pas connu. Il était naïf au point que c'en était dangereux. Toute sa vie, il avait été à la merci des autres ; tous les canulars prenaient avec lui.

– Très bien, dis-je, alors tu t'es senti responsable à son égard. Dans quel embarras l'avais-tu mis exactement ?

– Barclay avait écrit que quelqu'un s'était moqué de lui avec une mauvaise imitation, une imitation toute récente même, et qu'il renvoyait le prétendu pectoral par courrier séparé. Il disait qu'il n'estimait pas nécessaire de le faire enregistrer, puisque l'objet était sans valeur.

– Assez sec, remarquai-je, mais compréhensible de la part d'un expert qui avait perdu son temps. Bon, et qu'as-tu fait alors ?

– Que pouvais-je faire ? Avouer, raconter toute l'histoire. Ç'a été terrible. Stavros a saisi Nikos par le cou et lui a donné sur-le-champ une raclée avec sa ceinture ; naturellement, Bruce ne pouvait en toute justice se montrer moins sévère. C'est la seule fois où il m'ait battu, mais il ne pouvait décemment pas se contenter d'un petit savon alors que Nikos recevait une raclée ; d'autant plus que j'avais été l'acteur principal dans cette affaire.

– Tu as dû le sentir passer, non ? dis-je.

Un sourire fugitif éclaira le visage soucieux de Crispin et s'effaça bientôt dans l'ombre de ses souvenirs.

– À vrai dire, il a même exagéré, dit-il avec tolérance. Il était nerveux, ce qui n'était pas dans ses habitudes ; alors il a dû tellement se forcer qu'il a dépassé la dose.

– J'espère que ça t'a fait du bien !

Le sourire s'esquissa pendant une seconde, mais c'était comme s'il souriait d'un événement étranger à lui ou d'une anecdote d'un livre.

– Oui, mais pas dans le sens que vous entendez. Je me sentais tellement honteux de ce que j'avais fait que c'était pour moi un réel soulagement de racheter une partie de ma faute, même de cette façon. À vrai dire, il n'aurait pas dû se mettre dans cet état, j'aurais payé d'une façon ou d'une autre. Stavros s'occupait de nous deux et tenait pour certain que je participais à toutes les espiègleries que faisait Nikos. Naturellement, Bruce ignorait ce détail, il n'en aurait pas été content. Il aurait même pu prendre très mal la chose et renvoyer Stavros s'il avait su qu'il m'avait corrigé ;

mais ni l'un, ni l'autre, nous n'aurions pu nous passer de Stavros. C'était le seul de notre équipe à avoir les deux pieds sur terre.

Le portrait mental que je m'étais fait de cet enfant gâté de Pirithoön, précoce et socialement accompli, changeait de forme à chaque instant. Tandis qu'il parlait, je croyais voir tour à tour deux profils, celui d'un garçon, puis celui d'un homme. Chez un adolescent, de tels contrastes ne sont peut-être pas si étranges, mais chez Crispin, la cassure entre les deux aspirations était démesurément accusée, comme si elles ne devaient jamais se toucher ni se confondre, comme s'il ne faisait aucun effort pour les concilier parce qu'il savait déjà que c'était inutile et que, dans son cas, atteindre la maturité de l'adulte semblait problématique. Il m'inquiétait comme jamais auparavant ; c'est ainsi que je me rendis compte pour la première fois combien je m'étais déjà attaché à lui, et inconsidérément.

– Bon, je suppose que les choses se sont tassées à la longue, dis-je. Qu'est-il arrivé ensuite ?

– Quelques heures après, dit Crispin, me regardant sans me voir, je me suis réveillé au milieu de la nuit, cette même nuit, pensant avoir entendu un coup de tonnerre. Mais il n'y avait pas d'orage, et le ciel était sans nuages. Il était passé minuit, minuit vingt, je crois. J'étais effrayé sans en savoir la raison. Je me suis demandé si Bruce n'avait pas été réveillé en sursaut, lui aussi, et suis allé voir dans sa chambre : il n'y était pas, et son lit n'était même pas défait. Nous habitions, Bruce, Dermot Crane et moi, une petite villa, très près des fouilles, au sommet du village ; la femme de Stavros faisait notre ménage. Je n'ai pas eu l'idée d'aller chercher Dermot ; je suis sorti de la maison en pyjama pour me rendre compte de ce qu'il s'était passé. À ce moment, j'avais la certitude d'un malheur. J'ai couru au chantier ; il n'y avait personne. J'ai grimpé jusqu'à la citadelle, car il me semblait alors que c'était de là qu'était venu le bruit. La nuit était claire, le ciel, lumineux bien que sans lune. J'aurais dû voir se détacher à l'horizon la porte de la citadelle, mais, à ma surprise, je n'ai rien vu.

« Tout en courant, j'ai réalisé qu'elle avait disparu et, quand je me suis arrêté, je l'ai vue effondrée sur le sol, un coin enfoncé en terre. J'ai distingué une tête et une épaule qui dépassaient, le reste du corps était écrasé sous la pierre. Je n'avais pas de torche, alors je me suis agenouillé à côté de la tête et l'ai touchée. Quand quelqu'un vous est familier, une forme à peine entrevue vous est reconnaissable ; c'était Bruce. Ses yeux ouverts me paraissaient légèrement lumineux. Il était mort.

J'attendais qu'il poursuive. Son visage était immobile, et il gardait tout son sang-froid. Il s'était tu, uniquement pour rassembler les souvenirs de ce moment tragique qui s'était gravé inexorablement dans sa mémoire. Il voulait ne rien omettre et donner à tous les faits leur valeur exacte. Il voulait revivre la scène, pour que sa réalité apparaisse aussi claire et significative que l'air de la Grèce, aussi brillamment cruelle que la vérité.

– J'ai entendu des gens arriver en courant, continuat-il, la tête un peu en arrière, comme s'il entendait à ce moment des bruits de pas qui s'approchaient. Certains à une faible distance, d'autres plus loin. J'ai entendu aussi des voix. Je ne me rappelle pas avoir ressenti quelque chose : j'étais bien trop occupé à essayer de comprendre ce qui s'était passé. Alors quelqu'un arriva en me tombant presque dessus, c'était Dermot. Il m'a pris par les épaules et m'a parlé, mais je n'ai rien compris. Puis il a regardé à ses pieds et a vu Bruce. Ensuite, d'autres sont arrivés : David et Stavros, et plusieurs hommes du village. Dermot m'a relevé ; il a essayé de m'éloigner et de me ramener à la maison et, comme je refusais de m'en aller, il m'a pris dans ses bras et m'a emporté. Je l'ai laissé faire. Ça n'avait plus d'importance. Que pouvais-je encore apprendre en restant là-bas ? Plus rien ne comptait, tout pouvait cesser d'exister. Je crois que c'était la commotion qui me donnait de telles pensées. Je ne sais pas, je n'ai pas d'expérience, mais je suppose que j'étais dans un état de choc. Je me suis laissé faire, ils voulaient que je me remette au lit, et je leur ai obéi. Un docteur est arrivé et m'a administré un calmant. J'ai fait tout ce qu'on voulait. Ça me paraissait la seule chose à faire. Ils m'ont dit de m'endormir, alors je me suis endormi.

« Je me suis réveillé plus tard ; il ne faisait pas encore clair, mais le jour était proche ; j'ai regardé ma montre : il était quatre heures moins le quart. Mes idées étaient très nettes, je me rappelais tout, et je suppose que c'est alors que j'ai réalisé pour la première fois que Bruce était mort. La maison était parfaitement calme et silencieuse, on aurait dit qu'ils m'avaient laissé seul. Je crois que les policiers étaient déjà arrivés à la citadelle ; pourtant, Dieu sait si leur rôle se bornait à peu de choses. Je suis sorti du lit et suis entré dans la chambre de Bruce ; je ne sais pourquoi, je voulais simplement voir et toucher quelque chose qui lui avait appartenu. C'était comme si je devais m'assurer au plus vite qu'il avait été là avant que sa présence ne s'efface de ses affaires. J'avais peur d'oublier. C'est terrible, n'est-ce pas ? Enfin, pas de l'oublier, lui, mais d'oublier le son de sa voix, l'allure qu'il avait. Je ne voulais pas que sa silhouette devienne vague et s'estompe. Je préférais penser à lui intensément, même si je devais en souffrir.

« J'ai parcouru sa chambre, m'arrêtant à chaque objet, touchant sa veste dans la garde-robe et ses livres sur l'étagère. Puis je suis descendu dans son bureau et me suis assis dans le fauteuil, prenant ses plumes et les lettres qui étaient restées fermées dans son sous-main. Il n'avait pas laissé grand-chose pour la postérité. J'aurais donné n'importe quoi pour trouver quelque grande découverte, une découverte prenant son origine dans le merveilleux, comme Troie, même si les experts prouvaient une fois de plus que ce n'était qu'un heureux hasard, même s'ils étaient en droit de le dire. Il n'y avait rien. Rien qu'un petit colis sur le bureau, un colis arrivé la veille et qu'il ne s'était pas donné la peine d'ouvrir parce qu'il savait ce qu'il contenait et parce qu'il était encore vexé et trop irrité. Je savais, moi aussi, ce que c'était. C'était notre misérable petit bandeau pectoral. C'était la dernière des blagues que j'aurais voulu lui faire, mais je l'avais faite. C'était ma dernière sottise, et maintenant je ne pourrais jamais la réparer.

« Alors j'ai ouvert le colis. J'ignore exactement pourquoi. J'aurais pu ne pas le faire, parce que la vue de cet objet ne m'aurait été d'aucun réconfort, bien au contraire. Mais je l'ai ouvert, peut-être tout simplement parce que j'étais assis là, devant la boîte, et que c'était un geste machinal. J'ai sorti l'objet en forme d'oiseau, avec ses lignes sinueuses sur les ailes. Seulement, ce n'était pas le même ! Il lui ressemblait en tout point, on aurait dit le même, mais ce n'était pas lui.

– Comment pouvais-tu en être si sûr ? demandai-je, surpris.

– En le prenant, j'eus la sensation de toucher un objet étranger. Son poids et sa matière étaient différents. Il était plus dur et plus froid au toucher. Je le tenais en mains comme j'avais tenu l'autre, et il ne me paraissait pas familier. Une fois que j'ai eu cette impression bizarre, j'ai remarqué de petites différences dans les lignes qui le décoraient et dans les bords des ailes. C'était une copie du nôtre, ce n'était pas celui que nous avions découvert.

– En es-tu absolument sûr ? (J'insistai, car cela ne cadrait absolument pas avec ce qu'il m'avait dit précédemment. J'en restais perplexe.) Tu es certain de ne pas t'être persuadé de toutes ces différences uniquement parce que tu recherchais inconsciemment une distraction… quelque chose qui t'aurait fait oublier cet accident pendant un moment ?

– Ni consciemment ni inconsciemment. Je ne voulais rien chasser de mon esprit, dit-il avec un regard bref et arrogant, et je n'ai pas essayé de me persuader de quoi que ce soit. J'en étais aussi sûr au moment même qu'à présent. Le pectoral qui a été renvoyé d'Athènes n'était pas celui qui avait servi à faire une blague à Bruce. Je n'imagine rien du tout, Evelyn, j'en suis convaincu.

– Très bien, continue. Qu'en as-tu fait ?

– J'ai refait le paquet sans essayer de dissimuler qu'il avait été ouvert, le laissant plutôt comme si Bruce l'avait déballé, puis repoussé sur le côté.

– Tu n'as parlé à personne de ce que tu avais constaté ?

– Non. Ça m'intriguait, et je voulais réfléchir avant d'en parler. David m'a retrouvé dans le bureau ; il m'a renvoyé au lit, et je me suis endormi pour de bon. La tension nerveuse m'avait vraisemblablement épuisé, car je me réveillai alors qu'il était près de midi ; tous avaient fait de leur mieux pour ne pas troubler mon sommeil et étaient probablement soulagés de ne plus me trouver sur leur chemin ; il y avait un tas d'allées et venues, et la police semblait très occupée près des fouilles ; on relevait la pierre avec de gros engins.

« Et puis, au milieu de l'après-midi, ma mère est arrivée d'Athènes en voiture ; elle est restée avec moi tout le temps, me tenant à distance de tout ce qui se passait sur la citadelle et ne me perdant pas de vue une seconde. En se pressant, on peut faire l'aller et retour d'Athènes à Pirithoön en un seul jour, mais elle est restée toute la nuit et repartie avec moi le lendemain à cause des formalités. Tout le monde s'est mis en quatre et a été très aimable pour nous, je dois dire, à cause de notre deuil. Ils nous ont beaucoup facilité les choses, en faisant même, pour nous, plusieurs entorses aux règlements. Quand ma mère leur a dit qu'elle voulait m'emmener à Athènes le lendemain, puis en Angleterre dès que possible, ils se sont donné un mal fou pour régler toutes les formalités. Ma mère en impose à la plupart des hommes… même aux fonctionnaires, dit-il avec un petit sourire crispé.

S'il s'était attendu à une protestation de ma part, il en fut pour ses frais. Je n'étais pas disposé à discuter du caractère de Dorothy avec son fils, et, peu après, il reprit, plus aimable :

– Elle a été très gentille avec moi, je sais… seulement, elle exagérait un peu et me traitait comme un enfant qui devait être tenu à l'écart des réalités de la vie, et en particulier des réalités de la mort. Elle m'a à peine quitté des yeux pendant le restant de la journée jusqu'au moment où elle m'a cru profondément endormi dans mon lit. Mais je simulais, je devais réfléchir à ma découverte et je n'en étais nulle part. Je m'interrogeais sans arrêt : pourquoi notre imitation avait-elle été remplacée par une autre ? Il ne pouvait y avoir qu'une réponse : parce que quelqu'un voulait garder la première sans qu'on en sache rien. Alors se posait la question suivante : pourquoi ce quelqu'un voulait-il la garder ? Et il n'y avait qu'une réponse à cela aussi : parce qu'elle avait une réelle valeur et qu'aucun de nous, sauf cette personne, ne l'avait soupçonné. Je n'ai pas pu m'empêcher de me rappeler qu'après tout cet objet avait été trouvé dans la chambre souterraine et que, même si rien d'important n'avait été mis au jour jusqu'alors en cet endroit, il devait réellement être mycénien, et il était toujours possible que nous soyons tombés sur une sépulture contenant des objets précieux.

« J'ai alors réfléchi à celui qui aurait eu l'occasion de substituer cette nouvelle imitation à la nôtre. Je l'avais donnée à Bruce. Il l'avait montrée à Dermot Crane et à David Keyes, puis l'avait confiée à Dermot pour la mettre dans le coffre-fort pour la nuit. Le jour suivant, David l'avait portée à Athènes. Ils avaient tous les deux eu une occasion. Tous les deux savaient d'où elle provenait, tous les deux étaient des archéologues et avaient pu juger de sa valeur. Dans ce cas, l'un d'eux avait des connaissances suffisantes pour déduire que nous étions tombés sur un trésor, et que la chambre inviolée pouvait être remplie de choses semblables. C'étaient Dermot et David. Stavros l'avait vue aussi, mais il était peu probable qu'il lui ait trouvé quelque chose de remarquable. Il en était de même des ouvriers. Je me torturais les méninges, mais mes réflexions me ramenaient toujours à Dermot et à David. L'un d'eux pouvait l'avoir substituée au cours de la nuit. Dermot gardait les clés du coffre, et, parmi les débris exhumés à Pirithoön, il y avait de nombreux morceaux de bronze et d'étoffe qui auraient pu servir de matériaux pour la copie. L'autre avait pu l'échanger pendant le voyage, ou même à Athènes, avant de déposer le paquet chez le professeur Barclay.

– Mais, même en supposant que tes suspects aient reconnu la valeur de cette découverte et se soient rendu compte que beaucoup d'autres objets devaient encore se trouver derrière la porte, dis-je, fabriquer une copie ne leur aurait pas permis de s'approprier autre chose que cette pièce unique. Le tombeau, admettons que ce soit un tombeau, aurait été ouvert. Bruce n'aurait pas abandonné ses recherches sur un demi-échec.

Crispin tourna la tête, darda à nouveau sur moi ses grands yeux sombres. Ce regard semblait me livrer tout son être, mais ce n'était qu'une illusion ; il restait impénétrable, ne livrant rien de ses pensées secrètes.

– Non, dit-il, un échec n'aurait pas arrêté Bruce. Mais ça n'avait plus d'importance, n'est-ce pas ? Les choses s'étaient arrangées : Bruce était mort. Personne d'autre ne partageait sa passion pour Pirithoön. Personne d'autre n'avait d'ailleurs les moyens de poursuivre cette œuvre. Une fois Bruce mort, on pouvait dire que les fouilles étaient terminées. Ma mère me ramènerait en Angleterre. Dermot Crane retournerait à Athènes dès qu'il aurait mis de l'ordre sur le chantier et réglé les salaires des travailleurs. David reprendrait son poste à l'université de Londres. Pirithoön demeurerait tel que nous l'avions laissé, avec le tombeau toujours inviolé, jusqu'à ce que la personne qui s'y intéressait y revienne pour se servir en toute tranquillité, soit publiquement pour s'attribuer toute la gloire d'une découverte sensationnelle qui aurait dû revenir à Bruce, soit discrètement pour l'or. N'était-il pas providentiel pour cette personne que le linteau de cette porte de la citadelle soit tombé sur Bruce et l'ait tué ? Et dans la nuit, sans aucun témoin ?

VIII

Enfin, je décelais, en partie, les raisons de son tourment. C'était difficile à réaliser. Par la fenêtre, la journée semblait trop ensoleillée, la maison trop tranquille, le jardin trop ordonné et paisible. L'idée de meurtre contrastait étrangement avec le décor dans lequel nous étions, mais je n'avais qu'à laisser agir mon imagination pour visualiser cette colline grise, striée et rougeâtre au milieu d'autres toutes semblables, les vestiges cyclopéens des murs de la citadelle, le bloc de pierre effondré et le beau visage de Bruce Almond, les yeux ouverts, tournés vers le ciel brillant et infiniment serein de la Grèce. Et au-delà, le paysage tourmenté des montagnes de l'Argolide, les vallées encaissées, plantées d'oliviers, les figuiers au feuillage délicat, le sommet des collines ensanglanté du pourpre des anémones ; car c'était au printemps qu'il était mort...

– La police a commencé l'enquête tout de suite, dis-je, m'arrachant à cette contemplation intérieure. Tu dois avoir été le premier sur les lieux après la chute de la pierre. Personne d'autre n'a émis de doute sur les causes de la mort. Si tu voulais tuer quelqu'un, choisirais-tu raisonnablement un tel moyen ? Même en supposant que ce soit possible ?

– C'était possible, dit Crispin d'une voix faible et contenue, en supposant qu'il ait déjà été tué d'une balle ou d'un coup de poignard. Comment pourrait-on découvrir le nombre de blessures qu'avait un homme avant d'être écrasé sous une pierre d'une tonne ? Et comment savoir s'il était mort ou vivant ?

– Personne n'ignorait que les ruines étaient dangereuses, rétorquai-je, me faisant la réflexion aussi bien à moi qu'à lui-même.

– C'est exact, dit Crispin avec un sourire amer. Donc personne ne soupçonnerait autre chose qu'un accident. Personne n'avait même remarqué les circonstances qui le rendaient un peu trop opportun pour être fortuit... un peu trop opportun pour quelqu'un. Si je n'avais pas ouvert le paquet, personne n'en aurait jamais rien su. Et pour le moment, nous ne sommes que deux à savoir.

– N'en as-tu jamais parlé à personne auparavant ?

– Non, jamais.

Je ne lui en demandai pas la raison ; ce n'était pas nécessaire. Mais une fois cette idée admise, comment identifier le meurtrier, qui pouvait être n'importe qui ? Le mystérieux personnage se cachait derrière chaque homme de Pirithoön. Or Crispin était seul. Tout seul, il devait garder son secret, car aucun d'eux n'était à l'abri des soupçons.

– Si j'avais pu prendre Stavros à part, dit-il avec regret, j'aurais pu... mais c'était hors de question. Ma mère m'empêchait de me mêler à ceux qui circulaient sur le chantier ; je ne pouvais m'approcher des policiers ni des fonctionnaires de l'endroit. Stavros était au centre de toute cette activité : je n'ai plus jamais eu l'occasion de lui parler.

– Et tu n'as pas eu non plus l'occasion d'examiner l'endroit où la pierre était tombée ? Si quelqu'un l'avait réellement descellée avec un levier, ou autre chose de ce genre… et, en supposant qu'elle ait déjà été en équilibre instable, on aurait pu retrouver certains indices.

– J'y suis allé cette nuit-là, quand tout le monde était couché, dit Crispin. Je suis sorti par la fenêtre de ma chambre ; c'était très facile, elle était au rez-de-chaussée. J'avais une torche, mais je l'ai utilisée le moins possible. On n'avait pas laissé de garde sur les lieux ; à quoi cela aurait-il servi, d'ailleurs ? Personne ne croyait qu'il s'agissait d'autre chose que d'un tragique accident. L'ouvrage près de la porte s'était en grande partie effondré. Le terrain à l'intérieur de l'enceinte était en pente et permettait un accès facile au chemin de garde au-dessus des remparts en ruine. Un homme pouvait fort bien grimper jusqu'au niveau du linteau et placer un levier par-dessous. J'ignore à quel point il était instable, quoique le bruit courût que la pierre tenait par miracle. Mais parmi toutes les entailles dans cette pierre, on ne pouvait distinguer les nouvelles des anciennes, du moins la nuit. À la lumière du jour, j'aurais peut-être pu faire mieux. Tout ce que je sais, c'est que la chose aurait pu se passer de la sorte : mon père, déjà mort, aurait été placé sous la pierre, et d'une poussée appliquée au bon endroit au moyen d'un levier… Le linteau était assez large : il n'était pas nécessaire d'être très précis.

Il m'exposait cette affreuse possibilité avec l'objectivité et la lucidité d'un homme de science évaluant avec précision et émettant des suppositions raisonnables là où les faits faisaient défaut. Mais il n'y avait rien de froid ni de détaché dans la passion qui s'était emparée de tout son être, et avec laquelle il poursuivait le meurtrier de Bruce. Maintenant, la chose m'apparaissait très claire. Je voyais se dessiner derrière cet enfant l'ombre énorme du but qu'il poursuivait, me demandant comment il avait pu supporter cette charge écrasante.

– Qu'as-tu fait ensuite ? lui demandai-je.

D'après le feu intérieur que trahissaient ses yeux, il devait avoir quelque chose d'encore plus fabuleux à me raconter à propos de cette nuit.

– J'ai pénétré dans la tombe, dit Crispin.

Sa voix était calme et son visage serein. Il y avait de la crainte et de l'étonnement dans sa douceur, comme si l'évocation et la signification de ses souvenirs l'avaient charmé et transporté dans un autre temps pendant un moment. Il joignit les mains sur ses genoux, se raccrochant à la réalité de sa chair pour que son être ne s'emporte plus au loin, sur les ailes du temps qui le précipitait dans le passé.

– Quelqu'un y était déjà entré et avait déplacé deux des morceaux de la pierre, de telle sorte que notre passage était bouché. J'ai quand même réussi à les déplacer : elles n'étaient pas trop lourdes. J'avais une corde que j'avais trouvée dans une cabane du chantier, et je l'ai attachée à une pierre assez massive pour résister à mon poids. Je me suis introduit dans la crevasse et laissé descendre parmi les débris jusqu'à ce que mes pieds atteignent le sol pavé du vestibule. C'était tout à fait comme Nikos me l'avait décrit : le fond était partiellement recouvert de pierres éboulées et de terre, mais l'entrée était libre. Je n'ai eu qu'à me frayer un chemin parmi l'amoncellement de débris pour pénétrer à l'intérieur. La porte d'entrée était si haute que ma torche ne pouvait en éclairer qu'une partie à la fois. L'intérieur était plus noir que vous ne pouvez l'imaginer, l'air était plus que de l'air : lourd, sentant la terre et les fortes épices, mais surtout la terre. Ce n'était pas désagréable, seulement terrible, vous comprenez ce que je veux dire…

– Je comprends !

– La tombe comptait cinq morts. Ils gisaient sur des dalles de pierre surélevées, creusées légèrement en leur milieu pour recevoir les corps. Il n'y avait rien d'autre, à part quelques poteries et autres objets. Les murs se rapprochaient graduellement vers le haut. En un endroit, quelques pierres s'étaient effondrées, il devait y avoir bien longtemps ; à la suite d'un petit tremblement de terre, sans doute. Une partie de la paroi, en s'écroulant, avait brisé un des squelettes. Comme je passais le seuil de la chambre, j'ai manqué trébucher sur des ossements. Le crâne était là, à mes pieds ; un peu plus loin, j'ai reconnu un des os du bras entouré de trois ou quatre bracelets. Les quatre autres corps étaient restés intacts à leur place.

Crispin parlait d'une voix lente et monocorde, comme dans un état de transe ; il revoyait ce tombeau antique et percevait de nouveau cette odeur lourde et fraîche de terre, et sans plus d'effroi qu'alors ; même si cela avait été le cas, il aurait plutôt éprouvé cette crainte doublée d'une curiosité avide qu'Ulysse avait ressentie lorsqu'il poursuivait sans nécessité son voyage sacrilège vers des lieux interdits, poussé par ce désir de connaissance, don que la Grèce a fait au monde. Cette aventure avait été trop merveilleuse pour que la peur pût avoir prise sur lui.

– Ils avaient sur eux des restants de robes, des morceaux de tissu ornés de dessins si sombres que je ne pouvais en distinguer les couleurs. Je crois que deux des cadavres étaient des cadavres de femmes. Deux des corps intacts étaient réduits à l'état de squelette ;

de la chair séchée et momifiée adhérait encore aux ossements des deux autres. Tous étaient couverts de bijoux : des pectoraux, des bracelets et des tours de cou en or. Ceux que je crois être des femmes portaient des colliers d'or. Des bandeaux d'or leur couvraient à tous le front avec une languette recourbée qui leur descendait sur le nez et des ailes repliées sur les tempes et les joues ; non pas de simples feuilles d'or appliquées sur leurs visages, mais des masques d'or, comme des casques symboliques. Ce que Nikos avait ramené quand nous étions venus pour la première fois au tombeau, c'était le masque d'or qui s'était détaché du crâne lorsque le tremblement de terre avait éparpillé les os d'un des squelettes, aussi ancien que Troie, peut-être encore plus ancien ! Vous vous rendez compte ! Nous l'avions eu en main sans imaginer ce que c'était, et nous nous en étions servis pour faire une blague stupide à Bruce, alors qu'il venait justifier toute sa vie… si seulement nous avions su ! Je ne veux pas dire une justification aux théories d'un savant, mais en quelque sorte une justification spirituelle.

– Tu n'avais alors qu'à avertir Dermot… ou la police, puisque tu soupçonnais Dermot… et leur faire part de ta découverte ; la tombe aurait été ouverte immédiatement. Tu avais la possibilité de faire connaître la trouvaille de Bruce. Il aurait été « Almond de Pirithoön » aussi longtemps que les recherches auraient duré, et tu aurais même pu atteindre un autre but. Tu n'avais qu'à parler, et le tombeau serait devenu une merveille nationale et internationale, s'il se révélait être ce que tu espérais. Quel qu'ait été celui qui en aurait bénéficié, le meurtrier de ton père aurait été lésé. Ou encore tu l'aurais empêché de mettre la main sur le trésor pour lequel il avait commis un crime et tu aurais rendu le nom de ton père célèbre par la même occasion. Il suffisait de prononcer quelques paroles, et tu n'as rien dit ?

– Non, dit Crispin, je n'ai jamais dit un mot. Jamais jusqu'à présent.

– Mais, pour l'amour du ciel, pourquoi ?

Il me lança un long regard impénétrable qui me fit croire un moment que je l'avais déçu et qu'il n'allait plus me répondre. Mais il avait commencé à dévoiler son secret, malgré l'effort que cela lui coûtait, non pour se décharger d'un poids qui l'oppressait, mais pour m'éclairer, ne tenant en réserve que les parties les plus intimes et les plus personnelles de son aventure, qui ne pouvaient être partagées sans violer quelque chose d'essentiel.

Après un moment de silence, il reprit :

– C'est tout à fait exact, j'aurais pu empêcher l'assassin de faire main basse sur l'or ou sur la gloire de la découverte si j'étais allé trouver la police, mais je n'aurais pas su qui il était… Et les autres non plus. Jamais ! Ils avaient déjà fait leur enquête sur la mort de Bruce et avaient conclu à un tragique accident. Dermot prétendait l'avoir quitté en parfaite santé dans son bureau, vers onze heures, avant d'aller se coucher. Personne d'autre ne l'avait vu depuis que David était parti à dix heures pour rentrer à l'auberge où il logeait.

« À peu près à la même heure, je lui avais dit bonsoir avant de me coucher. Non, rien ne prouverait jamais que quelqu'un était revenu très tard, était monté avec lui à l'acropole, l'avait tué là et avait fait basculer la pierre sur lui ; personne ne croirait jamais à autre chose qu'à un accident. Je ne voyais qu'un seul moyen de rassembler des preuves pour découvrir celui qui avait tué mon père. Sa renommée pouvait attendre. Je la lui apporterais, quand même, à la fin.

– Alors, qu'as-tu fait ? demandai-je, à mi-chemin de la vérité.

– J'ai pris tous les bijoux en or et les ai cachés sous mes vêtements : les bracelets et les colliers dans mes poches et autour de mes bras, les pectoraux et les masques funéraires sous ma chemise et ma veste. J'ai même enlevé les bijoux du squelette brisé et remis pêle-mêle les os dans la dalle creuse. Je n'aimais pas les déranger et je l'ai fait aussi doucement que je l'ai pu. Mais puisque la mort est la fin de tout, dit simplement Crispin, je ne leur ai fait aucun tort. Et puis, dans le cas contraire, s'ils savaient ce qui s'était passé, ils comprendraient bien mes motifs. Je crois d'ailleurs qu'ils n'ont éprouvé aucun ressentiment à se voir ainsi dépouillés.

Je commençais à voir les choses sous le même angle, mais un frisson me parcourut l'échine en l'entendant parler avec un tel détachement.

– Tu veux me faire croire que tu as ramené tout cet or avec toi, sans jamais en avoir parlé à personne d'autre que moi ?

– Oui. Que pouvais-je faire d'autre ? J'ai emporté ces objets et j'ai remis les pierres comme je les avais trouvées. Puis j'ai caché l'or dans ma valise et, comme mes bagages étaient déjà prêts pour mon départ le lendemain, je me suis remis au lit. Le jour suivant, ma mère et moi partions pour Athènes, et quatre jours après, nous prenions l'avion pour l'Angleterre.

– Mais comment diable as-tu fait à la douane ? Et sans que ta mère en sache rien ?

– Ça n'a pas été difficile, mais très inconfortable ! Naturellement, si nous n'avions pas été les survivants d'une tragédie, les règlements auraient été appliqués avec plus de sévérité. Ou si j'avais eu quelques années de plus… Je le sais, mais il fallait que je profite de ces circonstances, sinon ça n'aurait pas réussi. Et puis, vous savez, des plaques d'or minces ne sont pas du tout encombrantes. Je les avais toutes sur moi, rien d'autre dans mes bagages que mes vêtements et mes effets. Des coudes aux épaules, mes deux bras étaient garnis de bracelets, maintenus en place par du sparadrap pour les empêcher de bouger ou de s'entrechoquer ; je portais les pectoraux et les masques collés au corps, de la même manière, et les colliers pendus au cou. Des épaules aux hanches, j'étais comme dans un corset d'or. J'avais l'impression d'être dans le plâtre, comme après un accident – côtes brisées ou quelque chose dans ce genre. Ça me faisait paraître plus gros que je ne l'étais, mes vêtements semblaient étriqués. Mais aucune personne qui me connaissait assez bien pour remarquer la différence n'allait me voir pendant le voyage. L'endroit le plus dangereux à franchir était la douane anglaise… je veux dire celui que je redoutais le plus, mais je suis passé comme une lettre à la poste. Je n'étais qu'un gamin de quinze ans, ils ne pouvaient pas supposer que je leur dissimulais quelque chose.

– Et évidemment, dis-je, tu étais conscient d'enfreindre un certain nombre de règlements en agissant ainsi ?

– Oui, bien sûr, mais que faire d'autre ?

– Et tu devais aussi comprendre, pour parler en termes plus terre à terre, que tu volais le gouvernement grec ?

– Oui, je le savais et le regrettais ; mais je n'ai jamais eu l'intention de garder ces objets : ils seront rendus au gouvernement grec. Je devais les avoir pendant un certain temps, voilà tout. L'homme qui avait tué mon père pour les prendre attendrait que tout le monde ait quitté le chantier pour revenir piller le tombeau. Quand il découvrirait qu'il avait été devancé et que l'or avait disparu, il irait à sa recherche. Personne ne laisserait échapper un pareil trésor après avoir commis un crime pour se l'approprier. C'était le seul moyen que j'avais trouvé pour avoir une certitude, la seule manœuvre pour l'obliger à se trahir. Je devais donc emmener l'or avec moi, et partout où j'allais, il fallait que je l'aie avec moi. Je savais que tôt ou tard il viendrait le rechercher.

– Et c'est pour ça que tu t'es rendu insupportable dans toutes les écoles où tu as été envoyé, dis-je pensivement ; parce que les bijoux étaient ici, et que tu avais choisi cet endroit pour démasquer le meurtrier de Bruce.

– C'est la maison de Bruce, dit Crispin. Je crois d'ailleurs que j'aurais détesté rester au lycée, mais, même si je m'y étais plu, je n'aurais pu y rester.

– Ça me paraît une supposition assez fragile, dis-je prudemment, qu'il doive venir ici pour chercher son butin. En supposant même, comme tu le dis, qu'il n'abandonne pas si facilement et veuille à tout prix mettre la main dessus, il pouvait arriver à la conclusion que la tombe a été pillée après la mort de Bruce, puisque le masque original n'a été trouvé que quelques jours avant, mais croire que le vol a pu être l'œuvre d'un membre du personnel, affecté aux fouilles. Il pourrait même envisager de les suivre les uns après les autres. Excuse mon scepticisme, mais combien de temps penses-tu qu'il mette avant d'arriver jusqu'à toi ? Pas avant d'avoir mené son enquête auprès de tous tes aînés. Il pourrait même soupçonner qu'après la fermeture du chantier, un habitant de là-bas a découvert par hasard la pierre brisée et s'est emparé du contenu du tombeau. Il pourrait même ne jamais penser à toi…

– J'ai prévu cette éventualité, dit Crispin avec l'assurance hautaine qu'il se donnait pour jouer à l'homme et rejeter loin de lui l'enfant qu'il ne voulait pas paraître. Je n'ai rien laissé au hasard. Non, il ne pouvait passer son temps à chercher quelqu'un d'autre ou à diriger ses recherches auprès des habitants de Pirithoön ni me considérer comme quantité négligeable, parce que je lui ai laissé un message dans la tombe. J'ai laissé une carte de visite de Bruce avec son adresse, sur le bord d'une des dalles où gisaient les squelettes, et je l'ai signée de mon nom au verso. J'étais certain qu'il viendrait, dit Crispin en me regardant sans sourciller dans le blanc des yeux, et vous voyez bien… il est arrivé !

IX

Là-bas, dans le jardin ensoleillé et dans la roseraie, Dorothy se promenait entre Dermot Crane et David Keyes. Je les vis s'arrêter et admirer un buisson d'un rose corail, puis continuer lentement et disparaître derrière un coin de la serre.

Je réfléchissais au récit de Crispin et m'efforçais de passer en revue tous les événements avec un esprit objectif, mais je me heurtais toujours à deux faits rigoureux qui ne pouvaient être écartés. Tout d'abord, je ne doutais pas de la conviction qu'avait Crispin concernant l'échange des masques entre le moment où le paquet avait quitté les mains de Bruce et celui où le professeur Barclay l'avait reçu. Deuxièmement, le bureau de Crispin avait sans doute été fracturé par le mystérieux inconnu. Que recherchait-il, sinon l'or ? Je ne parvenais pas à aller au-delà de ces deux certitudes malgré tous mes efforts. J'avais même commencé à raisonner à haute voix, comme si une persuasion aussi forte pouvait être battue en brèche par une discussion des faits.

– Si Crane ou Keyes était venu seul, aurais-tu considéré ça comme une preuve formelle de sa culpabilité ?

Et pourtant, quoi de plus naturel que Crane te rende visite dès son retour en Angleterre ? Il avait des affaires à régler pour ta mère en Grèce, les factures importantes de ton père à payer, que sais-je encore. Quoi d'étonnant à ce qu'il soit venu faire son rapport et prendre de vos nouvelles ? La même chose pour Keyes : même s'il a eu moins de relations officielles avec ta mère, il pouvait fort bien profiter de l'occasion pour lui faire une visite de courtoisie alors qu'il se trouvait dans les environs. Je sais que de toute façon la question du masque ne peut être expliquée de façon satisfaisante ; je sais aussi que d'autres circonstances sont très troublantes, d'après ce que tu m'as dit, mais tu ne dois pas attacher trop d'importance à la présence, dans cette maison, de ces deux hommes, parce qu'aux yeux d'un observateur objectif, il est évident que rien n'est plus naturel, et leur arrivée ici, le même jour, peut les faire paraître encore plus innocents. À moins, bien entendu, que tu croies qu'ils soient de mèche ?

– Non, dit Crispin d'un ton catégorique. Un seul homme est impliqué dans le meurtre de mon père. J'y ai souvent réfléchi... mais à quoi bon en discuter ? Si j'ai raison, et s'il est venu ici, attiré par l'appât, qui que soit ce « il », tout ce qu'il nous reste à faire est d'attendre qu'il se découvre. S'il veut prendre l'or, il se mettra à sa recherche ; s'il est innocent et est venu ici sans aucune arrière-pensée, il ne doit rien savoir de cet or... n'est-ce pas ? Il passera le week-end avec nous, puis s'en ira bien tranquillement. Mais je n'ai pas l'impression que ça se passera ainsi ; vous non plus, d'ailleurs. Je ne dois pas vous prouver qu'un des deux est au courant et sait que je possède cet or... Il l'a déjà manifesté.

(Crispin jeta un regard significatif au bureau.) Je ne dois même pas me donner la peine de trouver qui c'est… Il va se démasquer avant que le week-end se termine. Je n'ai qu'à attendre.

– Et moi, que vais-je faire ?

À vrai dire, devant la certitude qu'il affichait, je me demandais ce qu'on pouvait faire, car s'il avait raison, la succession des événements était déjà entamée depuis bien longtemps, et personne ne pouvait dégager Crispin de son propre piège. Il avait bien veillé à ce que personne n'en ait l'occasion.

– En ce qui me concerne, dit-il avec force, rien. Je ne vous ai jamais demandé de me venir en aide. Je ne vous ai pas raconté tout cela maintenant pour que vous puissiez me secourir, mais seulement pour que vous sachiez au moins quel danger vous courez, au cas où vous insisteriez pour vous mêler de cette affaire. (Il se rendit compte de la sévérité du ton qu'il avait mis dans sa voix et rougit tout à coup.) Je suis désolé, je ne veux pas me montrer grossier ni même ingrat… ce n'est pas que je me méfie de vous, et… que je ne vous aime pas. Je crois que ce serait réconfortant de vous avoir à mes côtés en cas de coup dur, mais la situation est différente. Je suis responsable de cette situation et je n'ai pas voulu que quelqu'un d'autre s'en occupe. Je souhaitais que tout le monde quitte la scène, sauf mon ennemi et moi. Mais comme vous n'avez pas voulu vous en aller, j'ai dû vous faire comprendre que tout cela était sérieux. Pourquoi l'assassin s'inquiéterait-il d'un nouveau meurtre ? Maintenant que vous savez tout, je ne peux rien faire de plus.

Crispin se leva du lit pour prendre une cigarette d'un paquet qui se trouvait sur le bureau. Sa main tremblait légèrement, mais je pense que c'était seulement par crainte d'en avoir trop dit et de ne pas avoir exprimé sa pensée aussi bien qu'il l'aurait désiré. Il cherchait la perfection en tout.

– Tu pourrais faire beaucoup plus, si tu le voulais, dis-je. Que penses-tu qu'il arrivera si ce mystérieux « il » se démasque en venant te soutirer des renseignements que personne d'autre ne peut lui donner ? Penses-tu que, d'après ton témoignage, la police sera convaincue qu'un crime a effectivement été commis ? Que, parce qu'« il » est un voleur, il doive nécessairement être un meurtrier ? Tu as dit toi-même, si tu t'en souviens, que personne n'avait jamais cru que la mort de Bruce ait été autre chose qu'un accident. Crois-tu que la police anglaise sera plus facile à convaincre que celle du Péloponnèse ?

Avec un visage éberlué, il leva les yeux sur moi par-dessus l'allumette qui brûlait toujours.

– La police, répéta-t-il, comme s'il employait un mot étranger qu'il entendait pour la première fois.

La flamme lui brûla les doigts, et il jura distraitement, se secouant la main, tout en me regardant, le visage toujours impassible, mais plein de compréhension. Il haussa légèrement les épaules, sourit, mais ne répondit pas. Il n'aurait pu, cependant, me donner une réponse plus précise et plus effrayante.

Ainsi donc, la police n'avait aucun rôle à jouer dans cette affaire ! Il n'avait pas besoin d'elle. Pas un moment, il ne l'avait fait intervenir dans ses projets. Crispin s'était imposé une tâche qu'il voulait accomplir seul. Il ne s'était pas trompé en prétendant qu'il n'y avait place sur scène que pour deux personnages, lui et son ennemi.

Au moment le plus crucial de ses révélations, mon interlocuteur m'apparut sous son vrai jour. Ce n'était pas en vain qu'il avait appris le grec aussi bien que l'anglais et s'était imprégné, à peine sorti de l'enfance, d'*Œdipe roi* et de *L'Orestie*. Mes yeux s'étaient ouverts un court instant, me plongeant dans la crainte lorsqu'il avait joué à l'homme et prononcé avec emphase ce « mon père » là où le garçon aurait dit « Bruce ». Ce n'était plus Crispin Almond, c'était Oreste lui-même, se chargeant du devoir filial auquel il ne pouvait se soustraire, prêt à venger son père, attirant sur lui toutes les Furies que la loi anglaise nous avait encore laissées et, croyez-moi, ces Furies pouvaient être redoutables. Tout en remarquant combien il ressemblait à un enfant en essayant pour la deuxième fois d'allumer sa cigarette, je compris pourquoi il m'avait dit froidement qu'il n'avait pas besoin de faire ses études. Le cours et la durée de sa vie étaient déjà tracés et acceptés. Il ne pensait pas survivre, et s'il survivait, il était assuré que son existence se passerait loin d'un monde qui n'était pas en accord avec ses conceptions classiques du devoir d'un fils. Il se sentait entièrement engagé et s'était rayé de la société.

Je restai sidéré quand cette affreuse idée se planta en moi comme un poignard ; j'en perdis même la faculté de m'exprimer convenablement. C'est impulsivement que je m'écriai : « Mais ce que je ne comprends pas, c'est pourquoi tu… », puis je me mordis les lèvres juste à temps pour ne pas achever «… n'as pas dit ça à ta mère », car ce coup de poignard avait suffi à me faire comprendre de façon parfaite pourquoi il s'était abstenu d'en parler à Dorothy. Oreste, lui aussi, avait une mère, et c'était elle qui avait la hache à la main quand Agamemnon avait été assassiné.

Mais c'était absurde ! Dorothy n'était même pas à Pirithoön au moment de l'accident ! Elle n'était arrivée que le lendemain, venant d'Athènes…

D'Athènes ! Quel fou j'avais été de ne pas avoir fait de rapprochement avec ce nom après l'avoir entendu à deux reprises, une fois de la bouche de Keyes, une fois de celle de Crispin. Que faisait Dorothy à Athènes ? Une tournée de concerts ? J'étais au courant de ses déplacements, mais, à ma connaissance, elle n'avait jamais joué à Athènes et, même si elle s'y était trouvée pour un motif aussi innocent, comment serait-elle arrivée à temps à Pirithoön ? Le corps de Bruce avait été trouvé peu après minuit. Dorothy était arrivée d'Athènes l'après-midi du lendemain. Avait-elle appris la tragédie dans les journaux ? Impossible ! Elle avait dû quitter Athènes dans le courant de la matinée, au plus tard, et les journaux du matin ne pouvaient avoir publié cette nouvelle, même comme article de dernière minute. La sachant à Athènes, les autorités lui auraient fait parvenir la nouvelle ? Mais elle ne se servait pas du nom d'Almond dans sa carrière d'artiste, elle jouait sous le nom de Dorothy Grieve et, en tout cas, ils n'auraient pas eu le temps de retrouver l'hôtel dans lequel elle logeait pour la contacter aussi rapidement. Non, Dorothy savait parce que quelqu'un travaillant au chantier lui avait télégraphié ou téléphoné la nouvelle… donc quelqu'un du chantier savait exactement où la trouver.

Si je pouvais arriver à cette conclusion, il pouvait faire de même. Cette pensée devait l'obséder, et il devait certainement se douter que quelqu'un, à Pirithoön, avait été en communication constante avec Dorothy, à Athènes, et personne ne pouvait, mieux que lui, arriver à la conclusion que le « il » qui avait contacté Dorothy et lui avait demandé de venir et d'emmener son fils était le même « il » qui avait volé le masque et tué Bruce. Dieu sait si j'avais assez de preuves pour le croire ! Cette terrible phrase qu'il lui avait dite un jour et qu'il avait tant regrettée depuis, sans jamais se rétracter, aurait dû m'en apprendre assez. « Je vous interdis de vous servir de moi comme d'un cobaye, même si Dermot vient ici pour le week-end. »

Oui, Dermot était celui que Crispin tenait pour coupable. L'arrivée de David avait un instant ébranlé sa certitude, mais il considérait toujours Dermot comme l'amant de Dorothy et le mystérieux correspondant du camp de Bruce qui lui télégraphiait d'écarter l'enfant de la scène dès que le meurtre aurait été commis. En mettant à part la découverte soudaine du masque et le vol du trésor, Dorothy et un amant auraient eu un autre motif, beaucoup plus ancien celui-là, de se débarrasser de Bruce Almond, qui n'acceptait pas le divorce, considérant sa femme liée à lui pour toujours. Si c'était ainsi que Crispin avait raisonné, et toute son attitude envers sa mère le montrait, il devait supposer que tous les deux avaient projeté cet assassinat depuis quelque temps et que le masque en or n'avait été que prétexte accessoire pour faire agir l'amant à ce moment précis. La chose liquidée, le rôle de Dorothy avait consisté à venir en toute hâte auprès de lui pour jouer la mère attentive et écarter de la scène le fils trop intelligent et trop avancé pour son âge, afin que les fouilles, le décès de Bruce et l'or puissent être enterrés dans l'oubli. Le rôle de Dermot, puisqu'il intervenait dans l'esprit de Crispin, avait été de rester sur place pour s'occuper des funérailles, puis de s'emparer tranquillement et discrètement de l'or, avant de retourner faire sa cour à la veuve et de jouer auprès d'elle le compagnon respectable.

Oui, aux yeux de Crispin, Dorothy était gravement impliquée dans la mort de Bruce. Ils avaient tous les deux un double motif. Pour elle, l'homme venait peut-être en premier lieu, l'or n'étant qu'un stimulant. Mais chacun d'eux voulait gagner l'amant et l'or par surcroît, motif assez puissant pour une demi-douzaine de meurtres. Quel sort Crispin réservait-il à sa mère ? J'osais à peine y songer.

– Nous ferions peut-être mieux de descendre, dit Crispin, avant qu'ils ne se demandent ce que nous faisons.

Il n'en dit pas plus. Comment d'ailleurs discuter du bien-fondé d'accusations qui n'avaient jamais été formulées, de reconstitutions de faits qui n'avaient jamais été établis ? Je savais à présent ce qui le tourmentait, aussi clairement que s'il m'en avait fait part, mais il s'était tu, et je ne pouvais le prendre par les épaules et le secouer une bonne fois en lui disant : « Voyons, Crispin, tout cela peut te paraître un raisonnement parfaitement logique, mais c'est une absurdité tout aussi parfaite. Si tu connaissais ta mère aussi bien que moi, tu saurais qu'elle est incapable de comploter ou de vouloir sauver sa respectabilité par un divorce à ce prix, ou même de toucher à un cheveu de Bruce. » En tout cas, même s'il n'avait dit qu'un mot qui m'aurait permis de mettre le restant en lumière, à quoi cela aurait-il servi ? Il n'y avait aucune intimité entre Dorothy et lui ; même s'il était son fils, il ne connaissait rien d'elle.

Ainsi donc, je devrais m'en tirer tout seul. Si la police ne jouait aucun rôle dans cette affaire, celui qui m'avait été désigné fortuitement n'en devenait que plus important. Je connaissais très bien Dorothy ; Crispin m'en avait dit assez pour que je comprenne que quelqu'un devait agir rapidement afin de prévenir l'inévitable poursuite du drame qu'il avait déclenché. Tout ce qu'il avait à faire, avait-il dit, était d'attendre jusqu'à ce qu'« il » porte le prochain coup. Mais je devais agir le premier, non seulement pour Dorothy, mais pour Crispin aussi. À ce moment-là, j'ignorais lequel des deux me tenait le plus à cœur. Je ne savais pas qu'à eux deux, ils formaient un monde.

– Oui, nous ferions peut-être mieux, me bornai-je à dire. N'oublie pas ton appareil photo. Si tu préfères, nous pourrions les rejoindre séparément.

Tandis que nous descendions, je lui posai brusquement la question, pour l'obliger à me répondre carrément.

– Où se trouve l'or, maintenant ?

Il me regarda en souriant aimablement, puis pinça les lèvres sans dire un mot. Je n'insistai pas, mais je le mis en garde en imitant ses manières les plus pointilleuses.

– Attention, je ne te fais aucune promesse au sujet de ce que j'ai l'intention de faire. Tu peux être certain que je ne divulguerai rien de tes confidences, ce qui veut dire que je ne préviendrai ni la police ni personne d'autre. Tu t'es confié à moi pour que je me tienne sur mes gardes, d'accord, mais je ne t'ai pas demandé de me venir en aide. Et s'il m'est interdit de divulguer même une partie de ton secret à quiconque, je reste libre d'agir par moi-même de toutes les façons que je jugerai utiles. D'accord ?

C'est plutôt avec une certaine répugnance mêlée d'anxiété qu'il me répondit qu'il trouvait cela équitable, mais qu'il espérait que je ne ferais rien.

– Tous les coups sont permis ? dis-je.

À contrecœur, mais en souriant, il acquiesça.

– Tous les coups sont permis !

X

Je me plongeai dans mes réflexions et ne réussis qu'à trouver deux moyens d'action pour nous venir en aide. Le premier et le plus évident, mais celui qui avait le moins de chances de réussir, était de retrouver l'objet qui était à la base de toute l'affaire : le bandeau d'or original que Nikos avait ramené de la tombe.

Une chose était quasi certaine : celui qui avait ouvert le paquet et substitué une copie à l'original avait encore ce dernier en sa possession. Le retrouver permettrait d'identifier notre adversaire, ce qui serait un grand pas en avant. En outre, il me semblait fort improbable que Crane ou Keyes se déplace avec cet objet dans sa valise. Toutefois, il n'y avait aucune raison de ne pas faire ces recherches uniquement parce que le résultat était problématique.

Après le dîner, il ne me fut pas difficile de m'absenter pendant une heure sous prétexte d'écrire quelques lettres. Il se trouvait que Keyes jouait assez bien du piano, et il avait supplié Dorothy de prendre son violon ; tous deux essayèrent de jouer la *Sonate en do mineur* de Beethoven. Crane resterait probablement dans la pièce tandis que Dorothy jouerait. Crispin ne quitterait certainement pas son poste d'observation tant que les trois autres seraient ensemble. J'étais donc tout à fait assuré de pouvoir agir sans être inquiété.

Les affaires de Crane étaient rangées avec soin sur la commode et dans les tiroirs. Tout ce qu'il avait avec lui était bien en vue, sauf sa serviette, qui se trouvait sur le lit, fermée à clé. J'aurais eu quelques scrupules à l'ouvrir, si lui – ou quelqu'un d'autre – n'avait déjà essayé de forcer le bureau de Crispin. Quoi qu'il en soit, je me flattai de m'être montré le plus adroit des deux en m'aidant d'une petite lime à ongles et d'une épingle de sûreté. Il y avait longtemps que je n'avais plus fait une chose de ce genre, mais je n'avais pas perdu la main, ou bien la serrure devait être particulièrement facile à ouvrir.

Il n'y avait rien de compromettant à l'intérieur de la serviette : deux cartes routières, un roman policier, une liasse de documents, qui me parut être le brouillon d'un article au sujet d'un château de croisés dont l'intérêt avait échappé au jeune Lawrence. C'était, de toute évidence, un homme qui apportait de multiples corrections à son texte et qui recherchait avec un soin extrême l'adjectif. Je n'en attendais pas moins de lui, même après avoir passé si peu de temps en sa compagnie. Il y avait aussi un journal plié, une petite pochette de photographies d'une frise que je ne connaissais pas et une lettre sans enveloppe : les quelques lignes que Dorothy avait griffonnées, l'invitant chaleureusement à lui rendre visite et à rester aux Lawns aussi longtemps que cela lui plairait.

Elle n'aimait pas écrire et faisait un tel usage des abréviations qu'elle avait presque inventé un nouveau système de sténographie. Il n'y avait rien dans cette lettre qu'elle n'ait pu écrire à une vieille connaissance

– moi, par exemple – dans les mêmes circonstances.
« Cher D. » Une particularité bien personnelle à ses
missives télégraphiques était qu'elles étaient toujours
adressées à des initiales et jamais à des noms. Je
n'avais plus vu son écriture impétueuse depuis des
années, mais j'étais capable de la reconnaître parmi
cent autres.

Je remis tout en place et refermai avec précaution
la serrure. Et voilà ! Chou blanc. Ni plus ni moins que
je ne l'avais espéré.

La chambre de David ne m'en apprit pas plus que
celle de Crane, mais elle était au moins très différente : ses affaires étaient banales, tenues sans beaucoup de soin et éparpillées sur le lit et sur tous les
meubles, comme si un ouragan s'était engouffré dans
la chambre. Comme lecture, il avait apporté une
revue automobile et deux livres de poche sur les
voyages. Pas de trace d'or non plus.

J'avais fini avec nos deux invités, et la sonate me
parvenait toujours du jardin d'hiver. Je passai devant
la porte de Crispin lorsqu'une idée me traversa
l'esprit : je me glissai dans sa chambre. J'étais peut-
être habitué à fouiller les chambres, ou peut-être la
pensée qui m'était venue quelques secondes après
être sorti de celle de David s'était-elle déjà suffisamment imposée à mon esprit pour me faire agir.
Comme je fermais la porte doucement derrière moi
en parcourant du regard la pièce vide, je savais ce que
je cherchais : ce n'était pas l'or. Pas ici. Crispin
m'avait d'ailleurs dit carrément qu'il n'y était pas
caché.

En dépit d'un contrôle de soi que peu d'hommes,
sans compter les garçons, auraient pu égaler, Crispin
avait maintes fois laissé voir les sentiments qu'il
éprouvait à l'égard de sa mère ; mais toutes

réflexions faites, bien peu de ses preuves étaient solides. Pour comparer sa mère à Clytemnestre, comme il l'avait fait, il devait certainement avoir eu des bases plus solides pour étayer ses soupçons, quelque chose de beaucoup plus significatif que sa trop prompte arrivée à Pirithoön. Un indice capable de recevoir une explication toute simple, qui allait de soi, mais assez compromettant pour mériter une explication. S'il détenait un élément qui tendait à incriminer Dorothy, il fallait que je le connaisse. Sans cela, comment pourrais-je le réfuter ?

Malgré tout, j'hésitai à toucher à ses affaires. Les confidences qu'il avait bien voulu me faire n'allaient pas sans quelques réserves, mais c'étaient quand même des confidences. Néanmoins, je n'avais pas le temps de m'attarder, Crispin jouait... non, c'était injuste, rien au monde n'était plus éloigné de la notion de jeu : Crispin s'arrogeait, pour des raisons suffisamment tragiques et terribles, le droit de disposer de trois vies, l'une d'elles étant la mienne. Dans un certain sens, son attitude était justifiée... mais il avait tort. Il se trompait sur Dorothy, il se trompait sur lui-même. Quiconque était de cœur avec lui devait jouer son jeu, non seulement contre l'ennemi inconnu, mais aussi contre Crispin. Il considérait que la réalisation de sa vengeance serait la fin de sa vie, qu'il survive ou non. Je ne pouvais l'accepter. En ce qui me concernait, Crispin ne devait pas être sacrifié... pas même par lui-même.

Le fait qu'il ait laissé ses clés sur le bureau attisa mon tourment. Il n'avait pas envisagé cela lorsqu'il avait accepté, à contrecœur, que j'agisse selon mes idées. Malheureusement, il fallait agir... Je fis jouer la serrure et parcourus, avant de les remettre soigneusement en place, le tas de lettres, de photos et d'anciennes coupures de journaux savants que Crispin avait sauvées du passé de son père. Je ne découvris rien se rapportant à Dorothy. Les tiroirs me dévoilèrent une touchante collection d'objets, étonnamment étrangers au Crispin que je connaissais, mais me rappelant avec tristesse ce qu'il aurait dû être. Tous les jeux de l'enfance se trouvaient réunis là : les modèles réduits à moitié assemblés, des morceaux de balsa et de métal léger pour avions, deux ou trois autos de course, tout un attirail de photographe – révélateur, fixateur, châssis, agrandisseur, des liasses d'épreuves ratées –, de petits pots de vernis de différentes couleurs. Du matériel scolaire aussi : des atlas, des instruments de dessin, des boîtes de crayons, tous taillés avec soin, quelques croquis bien enlevés, révélant une bonne part du tempérament de Dorothy, quoique Dorothy n'ait jamais pu tracer une ligne... Je ne l'avais jamais vu toucher à ces choses, j'ignorais d'ailleurs qu'il les possédait. Il tournait le dos aux choses enfantines, non parce qu'il les méprisait ni même parce qu'elles ne l'attiraient plus ; c'était comme s'il était conscient qu'elles n'étaient plus pour lui.

Mais tout de même, cela me montra quel genre de garçon il aurait dû être : un jeune adolescent parfaitement normal, se partageant entre une demi-douzaine de « hobbies », qu'il aurait abandonnés en grandissant pour s'intéresser à des activités plus passionnantes. Cette pensée me fortifia dans ma conduite, et c'est sans honte que je poursuivis mes recherches. Mais je ne découvris rien.

J'avais tout fouillé, sauf ses étagères de livres qui remplissaient toute une partie de la chambre, mais cela exigeait beaucoup trop de temps. D'un moment à l'autre, mes deux musiciens se fatigueraient de jouer du Beethoven. Malgré tout, j'examinai rapidement les rayons. Sur les planches inférieures, plus profondes que les autres, s'alignaient tous ses premiers livres, les livres d'images de sa tendre enfance, les premiers classiques, lus et relus avec amour, avec leurs coins abîmés et leurs pages écornées. Puis les livres de l'adolescence : histoires de collège, d'Indiens, de voyages, d'aventures, beaucoup de cartes, la plupart anciennes ; de magnifiques livres d'archéologie et de photographies d'Égypte et du Moyen-Orient, cadeaux de Bruce, sans doute. Ils n'avaient pas vécu souvent dans cette maison, seulement quelques mois de temps à autre, entre deux voyages, mais elle était toujours restée leur base, et c'était ici que Crispin avait laissé ses trésors, tout ce qu'il avait accumulé durant sa jeunesse. La langue grecque avait fait son apparition très tôt ; à côté des œuvres originales, il avait rangé leur traduction anglaise. Je suivis du doigt les titres et m'arrêtai sur l'œuvre qu'il préférait : *L'Orestie*, ces trois volumes d'Eschyle qui contenaient plus de sang, de violence et de grandeur que toutes les guerres du monde.

Si seulement j'avais réfléchi plus tôt, je n'aurais pas eu besoin de me livrer à toutes ces recherches, pensai-je ; un frisson d'appréhension me parcourut l'échine. S'il avait quelque chose à cacher, quelque chose qui pouvait être dissimulé dans un livre, par exemple, j'aurais dû avoir assez de bon sens pour savoir quel ouvrage il aurait choisi.

Je pris le deuxième volume, *Les Choéphores*. Il s'ouvrit de lui-même et j'eus devant les yeux le dernier dialogue entre Oreste et sa mère.

« ORESTE : Je veux vous tuer tout près de lui. Tant que vous viviez, vous l'avez préféré à mon père.

Reposez avec lui dans la tombe. Car vous l'aimez et haïssez l'homme que vous auriez dû chérir.

CLYTEMNESTRE : Je t'ai donné la vie : laisse-moi donc vivre la mienne.

ORESTE : Vivre ? Ici, dans ma maison… vous, la meurtrière de mon père ? »

Voilà donc ce que Crispin pensait de Dorothy. Je ne le croyais pas possédé d'une passion capable de le conduire jusqu'à cette extrémité, mais ce texte avait dû lui indiquer son devoir envers son père. Au cas où je n'aurais pas compris l'allusion, un petit billet glissé entre les pages me tomba dans la main. Je l'ouvris avec la certitude qu'il ne pouvait s'agir d'un hasard et qu'il avait un rapport avec le texte.

C'était un morceau de papier, arraché apparemment à la partie supérieure d'une lettre. Il avait été plié en deux, sans soin, comme pour servir de signet – ce qui n'était probablement pas sa fonction ici. L'adresse gravée au coin droit était celle d'un hôtel de Kolonaki, à Athènes, et j'en reconnus immédiatement l'écriture.

Même en supposant qu'après toutes ces années j'aurais pu oublier le style télégraphique de Dorothy, la lettre d'invitation à Dermot Crane me revint en mémoire, se superposant à celle que je tenais en main.

Cher D.,
Si heureuse de recevoir votre lettre. Quel bonheur de vous savoir à P. Mais faites bien attention qu'il ne sache pas que je suis en Grèce et que vous m'écrivez ré…

La phrase n'allait pas plus loin, le papier était déchiré au milieu d'un mot. Quel mot ? Régulièrement ? C'était ce qui venait à l'esprit. Cependant, même ainsi, il n'y avait rien dans le texte qui n'aurait pu être expliqué de cent manières toutes naturelles, si seulement je pouvais les deviner, ou les faire paraître convaincantes après réflexion. Je ne pouvais qu'imaginer Crispin ramassant ce fragment de lettre de sa mère, quelque part « à P. », épiant Dermot Crane et David Keyes, cherchant sur leur visage le reflet de leur âme et se demandant lequel des deux avait écrit à Athènes des lettres qui avaient rendu la destinataire « si heureuse », lequel des deux avait reçu la consigne de faire « bien attention qu'il ne sache pas que je suis en Grèce ». Cher Dermot ? Cher David ? Elle était toujours si pressée quand elle écrivait ; quel malheur qu'elle n'ait pas eu le temps d'écrire le prénom entièrement ! Je me rappelais que David avait demandé de se joindre à l'équipe de Bruce quatre semaines seulement avant l'accident, ce qui était significatif jusqu'à un certain point. D'un autre côté, Dermot était plus âgé, plus susceptible d'être dans les confidences de Dorothy et certainement plus capable d'exercer un attrait sur elle…

C'est alors que je réalisai que je raisonnais comme si je la croyais coupable. *Dorothy !* Maudit Crispin ! me dis-je en repoussant les soupçons qu'il avait fait naître en moi ; puis, avec tout autant de rage, je lui fis en pensées amende honorable, car quelqu'un avait ensorcelé ce pauvre petit diable, c'était certain, à moins que je ne parvienne à briser le sort. Il devait se tromper au sujet de Dorothy, même s'il tombait sur une douzaine de lettres compromettantes. Il pouvait aussi se tromper à propos d'une masse d'autres choses, mais là où il avait raison, c'était quand il prétendait qu'on avait volé le masque d'or et qu'une copie lui avait été substituée… Je commençais à être persuadé qu'il avait aussi raison à propos de la mort de Bruce :

quelqu'un avait préparé ce meurtre, quelqu'un l'avait exécuté ; mais pas Dorothy ! C'était impossible.

Je remis le billet et le livre en place. Après tout, certains ne pensaient-ils pas la même chose de Clytemnestre ? me dis-je malgré moi. « Pas la reine ! La reine ne pouvait être au courant ! »

Avec surprise, je sentis que mon front était baigné de sueur, comme si l'air de la chambre était devenu subitement torride. Je m'accoudai à la fenêtre, laissant la fraîcheur de cette fin de soirée me caresser le visage tandis qu'une brise légère m'apportait en vagues successives le parfum des roses et la musique de Beethoven. Je reconnus le dernier mouvement. Keyes jouait fort bien, mais ils étaient tous deux hésitants, et on sentait une tension qui devait être dans l'air à cause de la présence du garçon. Soudain, sans aucun doute possible, sans espoir aussi, je découvris que j'étais toujours amoureux de Dorothy. Je l'avais toujours été, je le serais toujours, aussi longtemps que je vivrais.

Je regardai rapidement autour de moi, pour m'assurer que tout était en place, puis gagnai la salle de bains pour m'asperger le visage d'eau froide. Je pénétrai dans le salon par le jardin, comme si je m'y étais promené pour prendre l'air avant d'aller au lit, au moment où ils finissaient de critiquer leur propre interprétation musicale, lui s'accusant et la portant aux nues, elle réfutant ses compliments non sans ironie.

Dermot était assis dans un fauteuil tout près de la fenêtre ouverte, Crispin sur un tabouret, les bras autour des genoux. Ses yeux clairs et paisibles observaient – ou plutôt scrutaient – chacun avec attention, ne manquant ni un mouvement de paupière ni un tressaillement du visage, rien qui aurait pu le renseigner sur ses ennemis possibles.

Et j'étais de ceux qu'il observait ainsi. Je le compris lorsque son regard brillant d'intelligence se posa sur moi. Il ne changea pas. Sans haine, sans expression même, il jaugeait en moi la possibilité que je sois un ennemi de plus. Cette fois, je compris pourquoi il ne pouvait jamais accorder sa confiance sans réserve, pourquoi il ne pouvait croire qu'un homme veuille lui venir en aide, tant qu'il soupçonnerait Dorothy. Je savais à présent pourquoi il m'avait dit un jour que je pourrais venir à son secours, si j'étais de son côté… « Mais vous ne voudrez jamais… »

Pour lui, tous les hommes étaient des alliés en puissance de Dorothy, et il était persuadé qu'aucun d'eux ne se dresserait contre elle. Jamais. Même si elle avait tort.

J'en étais arrivé au point de douter de mériter sa confiance. Il était certain que personne d'autre que moi ne pourrait nous sortir de cette situation inextricable avant que la catastrophe ne nous emporte tous.

Et si je n'agissais pas, coûte que coûte, avant la fin du week-end, il serait trop tard.

XI

Je fumais, assis près de ma fenêtre ouverte, attendant que la maison retrouve son silence et que les lumières soient éteintes. J'avais épuisé, sans résultat, toutes les possibilités de mon premier moyen d'action et en étais réduit au second ; celui-ci devrait à tout prix porter ses fruits, car c'était le seul qui me restait.

Si le « il » de Crispin était effectivement dans la maison, alors la crise allait s'abattre sur nous, et nous ne pourrions rien faire pour l'empêcher. En fait, je pouvais seulement précipiter son action, la faire éclater loin de la maison, loin de Crispin, loin de Dorothy. Crispin était dans l'œil du cyclone ; il attendait, sûr de son coup, que l'ennemi s'approche de lui ; cette conviction venait du fait qu'il avait l'or et qu'il était le seul au monde à pouvoir révéler sa cachette. Son plan tenait debout aussi longtemps que l'or et lui restaient liés ou, plus précisément, aussi longtemps que l'ennemi croyait qu'ils étaient liés. Si on les séparait, ce serait l'or qu'« il » poursuivrait.

Personne mieux que moi ne savait que Crispin n'accepterait jamais de se séparer de son trésor pour m'en confier la garde. Mais, après tout, comment l'ennemi pourrait-il le savoir ? Un étranger trouverait parfaitement compréhensible qu'un garçon de seize ans soit pris de peur dans une situation semblable et ne soit que trop heureux de transmettre à une personne de confiance son dangereux dépôt. Supposons, par exemple, que l'on me voie me glisser hors de la chambre de Crispin en pleine nuit, puis sortir de la maison en emportant sous mon bras un objet encombrant et suspect.

L'homme à l'affût devait épier tous les gestes du garçon et examiner la moindre piste. Les gens honnêtes et sans secret ne se dissimulent pas, alors une sortie nocturne et furtive, pendant que toute la maison serait endormie, lui mettrait forcément la puce à l'oreille. Et supposons qu'il avale l'appât et me suive jusqu'à un endroit sûr, d'où il observerait à l'aise les dispositions que je prendrais pour cacher ce paquet mystérieux que j'aurais emporté…

Oui, l'idée n'était pas mauvaise. S'il se décidait à agir, je serais au moins préparé à le recevoir. S'il préférait s'abstenir et s'il attendait que je m'en aille, l'air satisfait de ne pas avoir été repéré, et que je le laisse déterrer le trésor à sa guise, ce serait encore mieux, j'aurais alors l'initiative et je pourrais le confondre au moment le plus favorable à mon plan.

Que prouverais-je ainsi ? Qu'il était un voleur ? Sans doute. Qu'il était un assassin ? Pas celui de Bruce, dus-je admettre avec regret ; il n'était plus possible d'établir le fait dans ce pays, à moins d'obtenir des aveux, et il était fort peu probable qu'on puisse jamais rien prouver, même après une enquête fouillée en Grèce. Le mien ?… Eh bien, c'était aussi une possibilité, comme Crispin l'avait fort bien fait remarquer.

126

Je ne suis pas un héros. Cela, je l'avais découvert pendant la guerre, comme bien d'autres soldats le font tôt ou tard, et j'avais eu plusieurs fois l'occasion de le vérifier depuis lors. À présent que j'avais commencé à envisager avec découragement que j'étais peut-être en train de planifier les circonstances de ma propre mort, je ressentis la vieille boule familière se former dans mon estomac. Je m'enfonçai dans mon lit pour réfléchir à deux fois à ce que j'allais décider.

Pas de bêtises, Evelyn, ce n'est plus un jeu cette fois. Si l'homme qui a tué Bruce Almond a suivi Crispin jusqu'ici pour mettre la main sur l'or, il n'hésitera pas, si besoin est, à tuer de nouveau. Et ce que tu proposes de lui fournir, c'est un joli petit endroit isolé et tranquille pour ce faire, avec toi dans le rôle de la victime s'il s'avère plus adroit de ses mains que tu ne l'es. Deux personnes seulement au rendez-vous. La police est hors jeu, parce qu'on ne peut leur présenter aucune preuve, et aussi parce que la seule chose qu'ils identifieraient comme un crime sans hésiter une seconde, c'est le larcin de Crispin. D'ailleurs, puisqu'on en est là, tu as aussi promis au garçon de ne pas trahir ses confidences.

Alors vais-je prendre des risques inconsidérés simplement parce que j'ai fait une promesse à Crispin ? Je m'assis, la tête entre les mains, en me traitant de fou, mais je savais que c'était exactement ce que j'allais faire.

Et bon Dieu ! qu'est-ce que j'espérais prouver, même si ma ruse fonctionnait, si je déclenchais mon piège au moment précis où le meurtrier se saisissait de l'appât et que je le prenais la main dans le sac ? Alors ? Le tuer ? Y avait-il une alternative entre tuer ou être tué ? Donc oui, le tuer s'il le fallait. Le ramener vivant si possible, en prenant le risque de ne pas pouvoir prouver quoi que ce soit contre lui. Au moins l'aurions-nous identifié et les objets détenus par Crispin pourraient-ils être restitués au gouvernement grec. C'étaient les seuls aspects positifs de cette sale affaire. Si tout marchait comme je l'avais prévu ! Sinon…

Mais je savais pertinemment que l'important, c'était d'en finir d'une manière ou d'une autre avant que Dorothy ou Crispin soient pris pour cible. Qui que ce soit qui en paie le prix, eux du moins seraient épargnés. Après tout, j'avais quelque expérience du combat singulier et pouvais tenir tête à la plupart des hommes ; on ne me prendrait pas au dépourvu. Lequel en réchapperait, nous verrions bien. Au moins Dorothy et Crispin seraient-ils sains et saufs.

Bref, je savais où était mon devoir. Dorothy n'avait jamais cessé d'être la personne la plus chère à mes yeux, et je ne pouvais plus rien y faire, ni le nier. Quant au garçon, il faisait désormais partie de sa vie, quelle que soit la malchance qui les avait séparés l'un de l'autre. Et puisque j'en étais à ce déballage testamentaire, je pouvais aussi bien me l'avouer : ce qui m'avait fait le plus de mal, en les voyant ensemble, c'est que l'enfant ne soit pas de moi. Mais cela ne devait pas m'empêcher de braver la mort pour lui.

Je n'avais certes pas la moindre intention de mourir, si je pouvais l'éviter. C'est moi qui choisirais l'endroit. Il ne fallait pas que notre inconnu puisse soupçonner le piège. La cachette devait se trouver en un lieu qui m'était familier à moi, mais pas à lui, afin de tirer avantage de sa disposition, comme par exemple…

La journée avait été longue, et la fatigue m'accabla pendant quelques instants. Il ne fallait pas que la cachette soit trop près de la maison, c'était trop risqué. Non, ce devait être un endroit écarté, où nous ne risquerions pas d'éveiller l'attention de quiconque. Mes agissements n'allaient pas nécessairement être beaucoup moins louches que ceux de mon ennemi. Deux personnes seulement devraient participer à ce règlement de comptes, comme les chevaliers qui se préparaient jadis à affronter le dragon.

Un endroit était tout indiqué, quoiqu'il m'ait bien fallu dix minutes pour y penser. Notre caverne, là-haut dans les collines, répondait à toutes les conditions. C'était un lieu qui m'était assez familier tandis que l'ennemi ne le connaissait sans doute pas du tout. J'y aurais une marge de manœuvre suffisante, et notre petit tête-à-tête pourrait dégénérer sans que personne s'interpose. De toutes les cachettes qui nous séparaient de Wells, c'était la plus adéquate.

L'endroit était donc choisi, mais je repoussai l'idée de mettre mon plan à exécution cette nuit-là. Il était trop tard, le terrain n'était pas préparé. La nuit prochaine... si l'ennemi attendait jusqu'alors ; d'ici là, je pourrais éviter que quoi que ce soit ne se produise, en veillant sur Crispin comme un frère. Aucun assassin, si téméraire ou aux abois soit-il, n'irait demander au garçon de but en blanc où se trouvait le trésor, s'il avait un précepteur – somme toute, assez costaud – à ses côtés.

En outre, jusqu'à maintenant, nous avions instinctivement évité de paraître avoir partie liée, parce que cela arrangeait les projets de Crispin. Mais à présent, j'avais moi-même formé des plans qui exigeaient que nous nous comportions comme les deux doigts de la main. Si je me mettais ne serait-ce qu'un jour à le suivre comme son ombre, en regardant avec méfiance tous ceux qui l'approchaient isolément, j'aurais suffisamment éveillé de soupçons dans la soirée pour être épié avec la plus grande attention lorsque je me glisserais hors de la maison à une heure du matin avec un grand sac sous le bras. Je devais attendre le lendemain pour préparer mon action.

À ce moment, j'eus soudain conscience que plusieurs heures nous séparaient encore du lendemain et que les événements pouvaient avoir lieu avant l'aube. Dès que cette idée m'eut traversé l'esprit, je ne pus dormir. Je me glissai silencieusement hors de ma chambre, fermai doucement la porte derrière moi et, en tâtonnant le long des murs, je tournai le coin qui donnait accès à la chambre de Crispin, voisine de la mienne. À cette extrémité du corridor régnait une obscurité totale. Pendant une fraction de seconde, l'ouverture de ma porte devait avoir jeté une pâle lueur, de quoi alarmer la personne qui s'y trouvait déjà avant moi.

J'entendis le bruit d'une course rapide et légère, plutôt une vibration qu'un son, mais assez audible pour en reconnaître l'origine. Cela avait commencé à la porte de Crispin et s'était perdu vers l'arrière de la maison. J'entendis une serrure se fermer, puis le silence. L'air, un moment dérangé, était légèrement embaumé. Dorothy !

À tâtons, je m'approchai du panneau de la porte, qui me parut avoir gardé l'empreinte chaude et parfumée de son toucher, comme si sa joue était restée collée au bois. Mon cœur était de plomb. Je chassais continuellement l'idée, refusant cette possibilité. Et si Crispin avait raison, après tout ? Et si elle avait trempé dans le meurtre de son mari ? Maintenant que son complice était arrivé pour lui apprendre que Crispin leur avait déclaré la guerre, avait-elle d'autre ressource que de combattre son fils ? Trop engagée pour revenir sur ses pas, trop compromise aux côtés de son amant pour pouvoir se dégager ou même s'abstenir d'agir. Si une telle chose était concevable – mais évidemment, c'était impossible ! –, alors quoi de plus naturel qu'elle ait été déléguée pour s'efforcer de soutirer des renseignements au garçon par la douceur, d'épier chacun de ses gestes dans l'espoir qu'il la conduirait vers le trésor caché.

Inutile de conseiller à Crispin de fermer sa porte à clé : il attendait que quelqu'un l'ouvre. J'essayai, tournant le bouton tout doucement pour ne faire aucun bruit, puis poussai la porte jusqu'à ce que je puisse me glisser à l'intérieur. Du rectangle faiblement éclairé de la fenêtre ouverte, un violent courant d'air souffla dans la pièce, soulevant les rideaux à l'horizontale.

– Crispin ! dis-je à voix basse.

Pas de réponse. Le lit prit forme dans la faible clarté, si net que personne ne devait s'y trouver. Je ne devais pas dissimuler ma présence, bien au contraire, et je ne me préoccupais nullement du mécontentement que Crispin devait éprouver. J'étendis donc la main et tournai l'interrupteur.

Il se tenait pressé contre le mur, tout près de la fenêtre, la tête rejetée en arrière, les mains dans les poches de sa robe de chambre. Ses yeux, étrangement dilatés, avant de réagir à la lumière, me fixaient, et ses traits m'apparurent durs et d'un blanc laiteux ; ses mâchoires étaient si fortement serrées qu'il dut se faire mal en les ouvrant.

– Non, dis-je, je regrette ! Ce n'est que moi !

– Vous essayez de me faire peur ? demanda-t-il avec un petit sourire forcé.

Il s'éloigna de sa position stratégique avec un détachement très étudié qui me fit comprendre que ses genoux tremblaient légèrement. Ôtant la main gauche de sa poche, il repoussa nerveusement les cheveux qu'il avait sur le front ; je remarquai alors qu'il gardait la main droite en poche et que la tension de son bras droit ne s'était pas complètement relâchée.

– Bien au contraire, j'essaie de me rassurer. Je voulais simplement savoir si tout allait bien.

Je lui offris une cigarette et observai avec intérêt son hésitation, puis le petit mouvement ferme de tête qu'il fit pour refuser. Il n'est pas absolument nécessaire de se servir des deux mains pour allumer une cigarette, mais les hommes qui ont les mains libres les emploient d'habitude toutes les deux pour le faire. La main droite de Crispin n'était pas libre, et il ne voulait pas le faire remarquer.

– Éteignez la lumière, dit-il, se tournant à demi vers la fenêtre, venez ici et regardez.

J'éteignis, m'approchai de lui et suivis son regard, qui était fixé au-delà des grandes pelouses et des parterres de fleurs qui s'étendaient en pente douce vers la rangée d'arbres cernant le jardin et le séparant de la route.

Le large ruban de l'allée, que son gravier rose rendait plus visible, courait de la porte située au-dessous de nous vers la grille du parc cachée par les arbres.

– Regardez là-bas, sous le noyer.

Il s'était porté nettement vers la droite, mais lorsqu'il pointa le doigt vers le jardin, je me penchai vers lui pour mieux suivre la direction qu'il m'indiquait en me pressant, sans trop d'insistance, contre sa hanche et son bras. Chacun de ses muscles était tendu, la main dans la poche était fermée en un petit poing osseux, serré sur un objet compact. On ne

peut que s'étonner lorsqu'on voit un garçon nettement droitier comme lui employer sa main gauche
pour désigner quelque chose. Il tressaillit à mon
contact, s'écarta légèrement, et seules nos manches
se touchèrent.

Sous le noyer, près de l'allée, juste en retrait de la
grille principale, des taches grises sur gris formaient
un dessin confus qui, tout d'abord, ne me révéla rien.
Puis, sans que rien n'ait bougé, je parvins à distinguer
la forme d'un homme. Cette forme ovale et pâle était
certainement un visage tourné vers la maison. La
lumière avait été allumée pendant quelques instants
dans cette pièce, et il était fort probable que cela attirait l'attention de cet inconnu. Les fenêtres des
Lawns étaient assez grandes pour lui avoir révélé que
deux personnes se trouvaient dans la chambre. En
considérant l'angle sous lequel il nous voyait, il était
fort probable qu'il m'ait vu actionner l'interrupteur.
Tant mieux. De cette façon, ce mystérieux personnage devait savoir que je m'entretenais secrètement
avec Crispin, après minuit. Cela me convenait parfaitement, et même le fait d'avoir éteint si rapidement
cadrait admirablement avec l'illusion générale que je
désirais tant créer.

La seule chose qui me contrariait était que cet
homme n'aurait pas dû se trouver là. Il nous compli-
quait étrangement la tâche. Il aurait été fort loisible à
Crane et à Keyes de quitter la maison pendant la nuit
et de se poster sous la fenêtre de Crispin, mais dans
quel but ? Cette silhouette ne faisait d'ailleurs pas du
tout penser, d'après sa corpulence, à l'un ou à l'autre.
Elle était extrêmement grande et son immobilité de
statue paraissait naturelle. Mais la distance étant
considérable, on ne pouvait définir son contour parmi

toutes ces gradations de gris et de noirs, et toute impression aurait pu être illusoire.

– Depuis combien de temps est-il là ? demandai-je.

– Je l'ai vu pour la première fois un quart d'heure environ avant que vous n'entriez. Il se déplaçait lentement entre les arbres en s'arrêtant de temps en temps pour regarder vers la maison.

– Il regardait vers cette fenêtre ?

– Je ne sais pas.

Crispin était profondément troublé, la voix était mal assurée, bien que réduite à un murmure. Il avait reconstitué tout ce drame autour de quatre personnes, le ramenant à une simplicité de caractères et d'actions peut-être un peu exagérée. Même en tenant compte du doute provoqué par l'initiale D, il n'y en aurait eu que trois. Et soudain, la théorie qu'il avait échafaudée s'écroulait, tout son raisonnement sombrait dans la confusion la plus totale, sur l'intervention d'un cinquième acteur.

Mais était-ce un inconnu ? La concentration extraordinaire de Crispin m'intriguait un peu. Il fixait cette silhouette immobile, clignait ses yeux et s'efforçait de percer l'obscurité tout en se mordant les lèvres d'anxiété.

– Qui est-ce ? demandai-je.

– Je ne sais pas.

– En es-tu sûr ? On dirait qu'il te rappelle quelqu'un.

– Non… oui, il me semble que je l'ai déjà vu, et pourtant… à vrai dire, Evelyn, je ne sais pas. Si seulement je pouvais mieux le voir, mais ce n'est qu'une ombre maintenant. J'ai cru le reconnaître quand il bougeait… vous savez, certains mouvements peuvent vous être familiers, même dans le noir. Mais si je devais le reconnaître, je ne pourrais quand même pas le situer. Tout ce que je sais, c'est qu'il n'est pas ici par hasard, il doit jouer un rôle dans cette affaire ; sinon, pourquoi rôderait-il autour de la maison à une heure du matin ?

La silhouette dissimulée dans l'ombre n'avait pas bougé, ne manifestant aucune intention de partir.

– Reste ici à la fenêtre, dis-je, et ne le perds pas de vue. Je vais revenir.

Je me glissai dans l'escalier et arrivai au jardin en passant par la cuisine, ce qui plaçait toute la maison entre moi et notre observateur caché sous les arbres. J'atteignis facilement les buissons sans me montrer à découvert et, une fois sous le couvert des arbres, j'étais aussi sûr que lui d'être invisible.

L'air de la nuit était immobile et doux : le silence était profond, mais les pelouses bien entretenues de Dorothy absorbaient le bruit des pas comme un tapis de caoutchouc mousse. J'atteignis l'allée, du côté opposé à celui où se trouvait l'inconnu, et je la traversai en rasant le mur d'enceinte de la propriété. Moins de vingt mètres nous séparaient à présent.

Le malheur voulut que je pose le pied tout près d'un couple de perdrix ; les oiseaux s'envolèrent comme des fusées, déchirant le calme du battement de leurs ailes. Il y avait des arbres entre l'homme et moi, je ne pourrais pas jurer de l'avoir vu s'enfuir. Je ne perçus d'ailleurs qu'un faible bruit, rien qu'un rapide froissement de branches et de feuilles, puis le grattement de chaussures contre le mur.

Je me précipitai aussitôt vers le mur, courant sans plus hésiter entre les arbres. Une silhouette courbée se dessina au sommet du mur, se découpant nettement contre la faible pâleur du ciel. J'attrapai une jambe encore ballante, assurai ma prise sur la cheville et tirai : il retomba dans l'herbe avec un bruit sourd.

Mais alors que je bondissais sur ma proie, son talon me cueillit à la tempe et ma vision se brouilla un instant. Il avait amorti sa chute en expert, roulant sur ses genoux et ses épaules tel un acrobate, et me saisissait à présent les genoux en m'entraînant avec lui. Nous tombâmes enlacés et continuâmes à nous battre au sol, cherchant l'un et l'autre une prise fatale. L'obscurité était totale, trop prononcée pour distinguer même nos gestes, mais je pouvais sentir ses longs bras solides comme des battoirs ; la force et la rapidité de ses coups ne me permettraient pas de lui résister longtemps.

Je repoussai sa tête en appuyant ma paume contre son menton, ce qui ne l'aurait pas arrêté longtemps si son crâne ne s'était cogné contre une branche de hêtre. Le choc le désorienta une seconde, qui fut suffisante pour que j'échappe à sa prise et me remette debout. À genoux, il essaya de m'attraper de nouveau ; j'agrippai sa veste et tentai de lui plaquer les bras au sol. Mais il fit un écart et ma main gauche lâcha sa prise, arrachant sa poche intérieure au passage. Je sentis craquer un stylo qui répandit son encre sur mes doigts et tinter des pièces de monnaie qui allèrent rouler dans l'herbe. Il se redressa en laissant dans ma main une longue bande de tissu : quelque chose de plus lourd que des pièces frôla alors mon visage et alla buter contre l'arbre.

J'avais perdu l'équilibre et, avant que je puisse me redresser, son poing me frappa à la mâchoire : le coup m'étendit pour le compte. Je tentai de me relever, mais me sentis aussi mou que le morceau de tissu que je tenais toujours dans la main. Je flottais doucement à la surface de ma conscience, comme un bouchon sur une mer démontée, tantôt submergé, tantôt remontant, réussissant à peine à rassembler mes esprits que je coulais à nouveau. Il ne demanda pas son reste, ni ne prit la peine de ramasser sa monnaie éparpillée, ce qui lui aurait pris quelques minutes. Mais un des objets qu'il avait perdus était plus facile à retrouver – et c'était celui qu'il voulait récupérer.

Le rayon lumineux d'une torche électrique troua l'obscurité, balayant le sol jusqu'à mon visage. Trop groggy pour soulever la tête, je me contentai d'enfoncer ma joue dans l'herbe pour échapper au rai de lumière. Les brins d'herbe me parurent aussi coupants que des lames – et mes yeux étonnés aperçurent un morceau de métal recourbé comme des ailes repliées, dont la couleur mate laissait échapper des éclats brillants. Je fermai à nouveau les yeux, comprenant que c'était le bord effilé de cet objet qui m'avait entaillé la joue. Rouvrant les yeux, j'aperçus une main leste se saisir de l'objet avant de se fondre à nouveau dans l'obscurité – un éclair visuel dont les détails s'imprimèrent dans ma mémoire : les poils noirs sur le dos de la main, les ongles effilés comme des piques au bout des doigts et cette vilaine cicatrice sur le poignet.

Je perçus encore le bruit étouffé de sa chute de l'autre côté du mur, les pas de sa course, puis ce fut le silence. Je demeurai quelques secondes de plus bercé par un brouillard ouaté, avant que ma tête et ma mâchoire se mettent à envoyer des ondes de douleur qui me firent malgré moi reprendre conscience. Je sentis de nouveau mes bras – ces bras qui l'avaient tenu et laissé échapper. Tout était silencieux à présent, excepté le battement dans mes oreilles. Encore nauséeux, je me redressai, me dirigeai vers le mur et grimpai en peinant jusqu'en haut : mais la route était déserte.

Je me laissai glisser précautionneusement le long du mur et m'y adossai un moment, le temps que mes jambes cessent de trembler. Je n'avais pas retrouvé tous mes esprits et il fallut un moment aux images qui s'étaient imprimées en moi pour se frayer un chemin jusqu'à ma conscience. Quand le puzzle se remit en place, mes doigts se crispèrent contre les briques du mur et je laissai échapper un juron.

Le morceau de métal aux bords incurvés en forme d'ailes d'oiseau. Une longue main tannée dont le poignet était barré d'une cicatrice. J'avais déjà vu ces deux éléments, le premier en esprit, le second dans une rue de Londres, lorsque cette main s'était tendue devant moi pour ramasser le livre de Dorothy. J'avais attrapé l'homme et le masque et tous deux m'avaient glissé entre les doigts !

Ce n'était ni Dermot ni David. C'était cet inconnu que j'avais aperçu une fois, mais dont je ne savais rien ; impossible de lui trouver une place dans le puzzle ; à moins que Crispin puisse m'en suggérer une. Mais il avait le masque ! Et la seule personne qui pouvait l'avoir en sa possession, c'était forcément le meurtrier.

Me revinrent alors à l'esprit la poche déchirée et la pluie de pièces, et je me dirigeai à nouveau vers l'endroit où elles étaient tombées. Cependant, sans lumière, mes recherches étaient inutiles. Par ailleurs, je devais retourner voir Crispin avant qu'il ne vienne à ma rencontre. Allais-je lui dire ce qui venait de m'arriver ? Il ne valait mieux pas. Si je voulais régler cette affaire sans lui désormais, il était préférable de ne pas jeter de l'huile sur le feu cette nuit-là. Qu'il continue d'attendre son visiteur. S'il suspectait que je poursuivais le meurtrier de mon côté, il me serait impossible de deviner quels actes désespérés et irrévocables il serait capable d'accomplir pour se venger de ses propres mains.

Je rentrai et allai à la salle de bains du rez-de-chaussée, pour me laver la figure et remettre de l'ordre dans ma tenue. Lorsque j'eus gravi l'escalier et me fus introduit sans cérémonie dans la chambre de Crispin, mes yeux étaient accoutumés à l'obscurité et je n'eus pas besoin d'allumer la lumière pour le voir retirer brusquement la main, avec un sang-froid et une détermination remarquables, de dessous son oreiller. Il essaya de me donner le change en glissant la main sur les draps et les couvertures, qui étaient parfaitement tirés, puis il s'assit et me regarda sans sourciller.

– Qu'est-il arrivé ? L'avez-vous vu ?

– Ça dépend de ce que tu appelles « voir », répondis-je. Il fait plus noir que dans un four sous ces arbres. Je crois l'avoir frôlé, mais il est parvenu à sauter par-dessus le mur. Je pense que nous ne le reverrons pas ce soir...

Il vit alors l'estafilade sanguinolente sur ma pommette et écarquilla les yeux.

– Vous êtes blessé ? Avait-il un couteau ?

– Non, ce n'est rien. Nous nous sommes battus au pied du mur, et il m'a frappé avant de disparaître. Je m'en veux un peu de l'avoir laissé s'enfuir, c'est tout.

– De quoi avait-il l'air ? L'avez-vous reconnu ?

– Grand, mince et costaud... c'est tout ce que je peux en dire. En tout cas, je ne pense pas que ce soit quelqu'un de la maison... ni Crane ni Keyes.

– Non, dit Crispin d'une voix où l'étonnement le disputait au sommeil, je commence à m'en rendre compte...

Il mit sa main devant sa bouche pour étouffer un long bâillement.

– Tu ferais mieux de te coucher. Nous ne pouvons rien faire de plus cette nuit. J'ai simplement voulu m'assurer que tu allais bien, pas me lancer dans une chasse à l'homme.

Lorsqu'il se leva avec une docilité qui m'étonna et se mit à ôter sa robe de chambre, je m'approchai rapidement de lui pour l'en débarrasser et la jeter sur le dossier d'une chaise à côté du lit. Il n'y avait plus à présent rien de dur ni de lourd dans la poche droite, ce qui ne me surprit guère.

– Si tu as besoin de moi, dis-je, je suis à côté, tu n'as qu'à m'appeler.

De son oreiller, il me fit un petit sourire las ; c'est avec soulagement qu'il abandonnait jusqu'au lendemain tous ses soucis.

– Bonne nuit, Evelyn.

– Bonne nuit, Crispin.

J'avais, quant à moi, une dernière chose à faire avant d'aller dormir. Je dois dire que je m'en acquittai fort proprement. Il ne remarqua rien d'anormal à mon départ et ne m'entendit pas retirer la clé de sa serrure en sortant. Je fermai la porte sur moi tout doucement, puis lui accordai cinq minutes pour s'assoupir, avant de me risquer à l'enfermer.

Heureusement, les serviteurs de Dorothy tenaient tout en parfait état dans la maison, et la clé tourna dans son logement presque sans bruit, aussi doucement que dans de la soie. Après quoi je retournai en silence auprès du mur d'enceinte et fouillai centimètre par centimètre la zone herbeuse où nous nous étions battus. Le morceau de tissu déchiré ne m'apporta aucun indice, sinon que, usé et graisseux comme il l'était, le manteau de l'homme ne devait pas être tout neuf. Je ne retrouvai pas le stylo qui s'était brisé entre mes doigts comme un petit os. Mais je dénichai six pièces de monnaie, dont deux pennies et trois demi-pennies. La sixième était de loin la plus intéressante : c'était une drachme grecque.

XII

À l'aube, j'ouvris sa porte avec précaution, juste assez pour remettre la clé de son côté. Heureusement, il ne se réveilla pas, le nez enfoui dans l'oreiller, une seule joue visible, douce et rose sous les cheveux bruns en désordre, les lèvres entrouvertes comme celles d'un bébé. Complètement détendu, sa pose était charmante d'innocence, du moins c'est l'impression qu'il me fit avant que je ne remarque sa main droite fourrée sous l'oreiller, refermée sans doute sur la crosse du pistolet qu'il m'avait dissimulé avec tant de soin la nuit précédente. Sur quelle partie de sa personne avait-il caché cet objet lorsqu'il avait passé la douane ? Voilà quelque chose qu'il ne m'avait pas dit.

Quand vint le jour, la première idée qui me traversa l'esprit fut de lui enlever ce joujou, de lui donner une fessée et de lui faire un sermon sur le danger que courent les garçons qui jouent avec des armes à feu. Même la puérilité de cette cachette classique renforça l'impression qu'il me donnait à ce moment-là d'être un garçon de dix ans plutôt qu'un adolescent précoce de seize. Mais il était parfaitement inutile, après tout ce qui s'était passé, de commencer à le traiter comme un enfant qui n'avait aucun droit de s'occuper de ses propres affaires. Il pourrait peut-être trouver en moi plus malin que lui sans en être outragé, mais il préférerait se battre plutôt que d'être déchargé du devoir qu'il s'était imposé sous prétexte qu'il était trop jeune pour l'accomplir. Et puis, ce pistolet n'était qu'un symbole. Il avait, sans doute, appartenu à son père, et je me demandais quel type d'arme Bruce avait choisi et si Crispin avait eu la présence d'esprit de ramener le permis qui s'y rapportait. Le gardait-il sur lui la journée comme il le tenait à sa portée durant la nuit ?

Il fallait naturellement qu'il s'en sépare, mais je ne voulais pas le brusquer. Si l'affaire se réglait la nuit suivante, Crispin pourrait fort bien dormir pendant le dénouement aussi tranquillement qu'il avait reposé la nuit passée, ignorant l'indignité d'avoir été enfermé.

Il s'éveilla très tard et descendit déjeuner encore un peu engourdi de sommeil et d'assez méchante humeur. Au moment où il revit ceux qu'il soupçonnait d'être ses ennemis, son sens des convenances exigea qu'il se montre poli et cérémonieux, sans devoir se forcer à leur être agréable. Plus son animosité était grande, plus son maintien était irréprochable ; il ne pouvait en faire plus pour un intime de la maison, mais, envers moi, il pouvait se permettre d'être de mauvaise humeur au point même d'être grossier. Il n'apprécierait certainement pas ma tactique défensive, car il n'avait aucune envie d'être secondé dans le combat qu'il devait livrer. Je me préparais à vivre une journée difficile et m'attendais même à en tirer un certain plaisir pervers.

Ce samedi matin, David Keyes devait se rendre à Wells pour récupérer sa moto, que le garagiste lui avait promise pour 10 heures. Crane s'offrit spontanément à l'y conduire avec l'Austin et invita Crispin à les accompagner.

– Nous pourrions aller jeter un coup d'œil à la cathédrale, dit-il, observant Crispin de l'autre bout de la table, puis déjeuner en ville avant de rentrer.

« Et comme ça, vous ne seriez qu'à deux dans l'Austin au retour, sans compter toutes les occasions de rester isolés dans une grande cathédrale. »

Je voyais bien que Crispin suivait les mêmes pensées. Il leva brusquement la tête, les yeux clairs et alertes. Il ouvrit la bouche pour accepter sur-le-champ, avec enthousiasme. Il attendait avec tant d'anxiété la première scène du drame ! Le moment enfin venu, il l'accueillait avec soulagement.

– Mais pourquoi ne prendrions-nous pas la Jaguar et n'irions-nous pas tous ensemble ? dis-je en me tournant vers Dorothy.

Elle sauta sur l'occasion.

– Oui, quelle bonne idée ! Le temps est magnifique et je dois justement faire quelques courses. Nous pourrions convenir d'un rendez-vous quelque part en ville pour déjeuner ensemble, et nous rentrerions à la maison en compagnie de David.

David parut être d'accord. Le visage de Crispin se ferma dès qu'il m'eut jeté un regard interrogateur. Crane sourcilla un peu, mais n'objecta rien ; le contrôle qu'il avait sur lui à tous les instants ne permit pas à la colère ou à la contrariété de se faire jour.

Nous partîmes donc tous pour Wells. Je conduisis jusque-là, mais quand nous fûmes arrivés, Dorothy prit la voiture pour son shopping. Toutes les règles du savoir-vivre m'indiquaient que j'aurais dû lui proposer de la conduire, pour porter ses paquets et me charger de trouver un parking, chose difficile un samedi après-midi. Je n'en fis rien. Ce fut Crane qui fronça ses beaux sourcils noirs d'un air grave, en suggérant qu'il pourrait être utile que l'un d'entre nous l'accompagne (par quoi il entendait que ce serait quelqu'un d'autre que lui). Dorothy, ignorant quel souci elle m'enlevait de l'esprit, lui rit au nez, disant qu'elle préférait faire ses achats sans escorte. Merci bien, elle ne voulait pas d'un homme ennuyé et énervé qui l'attendrait devant les magasins avec l'air martyrisé, lorgnant sa montre toutes les minutes, d'autant plus qu'elle avait pris rendez-vous par téléphone pour un essayage dès que nous avions décidé de venir, et qu'elle serait invisible une grande partie de la matinée. Elle promit de nous retrouver pour le déjeuner à 12 h 30 et nous laissa à notre visite de la ville.

David nous ayant quittés pour aller à son garage, nous restâmes à trois pour visiter la cathédrale. Ce fut une matinée morose. Partout où nous allions, je me trouvais entre Crane et Crispin et fis tous les frais de la conversation. Aussi longtemps que j'étais là, rien d'intéressant ne pouvait être dit, et il fallait bien remplir ces silences désapprobateurs d'une manière ou d'une autre. Crane parlait à l'enfant et m'ignorait la plupart du temps. C'était fort pénible ; aussi la conversation se résuma-t-elle bientôt à un de ces interrogatoires insupportables qui causent tant de ressentiment et de fureur aux adolescents. Il débuta par la sempiternelle question, du genre : « Comment ça va à l'école ? » sauf que, dans le cas de Crispin, il ne pouvait être question d'école. Contre le barrage de monosyllabes de la victime, chacun plus sec et plus maussade que le précédent, Crane ne pouvait s'empêcher de paraître, à chaque minute,

plus affreux et pontifiant, tandis que Crispin, en mar-
monnant, rageait et rougissait, pareil en cela à ce type
d'écolier qu'il méprisait tant. Si c'était le début du duel,
il ne se présentait pas du tout comme il l'avait supposé.
Il rentra dans sa coquille et prit l'attitude d'un adulte,
en se montrant de nouveau insolent ; mais son vernis de
politesse condescendante craquait de toutes parts, et il
ne réussissait qu'à se donner un air d'adolescent imper-
tinent, ce qui était bien éloigné de ses intentions.

« Si nous nous trompons sur Crane, pensai-je à ce
moment-là, et s'il est au-dessus de tout soupçon, il
doit penser que le fils de Bruce est devenu un garçon
très désagréable. »

Au moment où nous nous dirigions avec soulagement vers le lieu de notre rendez-vous avec Dorothy,
nous étions encore descendus plus bas et avions
atteint le stade du « J'espère-que-vous-êtes-un-bon-
garçon-pour-votre-mère » ; la vexation de Crispin,
aussi touchante dans son genre que sa façon de tenir
sous l'oreiller cet instrument de mort, m'avait fait
revivre les horreurs de l'adolescence que j'avais
oubliées depuis tant d'années. Cette matinée ne lui
avait apporté qu'humiliation. Mais, tout bien considéré, le changement lui serait profitable. Il s'était fait
gentiment remettre à sa place. J'en oubliais presque
la compassion qu'il avait éveillée en moi, prisonnier
qu'il était d'un rôle écrasant dans une tragédie antique, avec la mort qui rôdait sur ses traces. Cela ne
durerait naturellement pas, j'en étais certain. Le
soleil pouvait briller dans les rues, mais l'ombre
invisible d'Agamemnon pesait toujours lourdement
sur nous.

Dorothy nous rejoignit avec dix minutes de retard.
De nombreux paquets s'empilaient sur le siège arrière
de sa voiture. Après cette séance d'essayage, elle

paraissait belle et rêveuse, féminine jusqu'au bout des ongles, empreinte de la satisfaction et de la vivacité d'un enfant qui aurait passé toute la journée avec ses jouets préférés. Je ne l'avais plus revue dans cet état depuis que nous nous étions rencontrés à Londres et, même à présent, ce rayonnement qui émanait d'elle avait quelque chose d'éphémère et de nostalgique, comme si elle se rendait compte qu'il lui échappait désormais. Elle sortit de la voiture et s'avança sur le trottoir avec une grâce étonnante, la tête rejetée en arrière, ses beaux yeux violets s'attardant sur Crispin avec un étonnement mêlé de tendresse. Chaque fois qu'elle le revoyait, même après une séparation de quelques heures, elle éprouvait un moment de surprise et de crainte, comme si elle avait du mal à se faire à l'idée que cette créature si lointaine et si secrète, dressée contre elle dans une animosité apparemment définitive, pouvait être l'enfant de sa chair. Un élan la poussait d'abord vers lui, puis elle se reprenait, déçue, devant le mur invisible qui les séparait.

Nous déjeunâmes ensemble, mais, cette fois encore, ce ne fut pas une réussite. David bavarda tout le temps, soit qu'il n'ait pas remarqué la gêne de son entourage, soit qu'il ait cru de son devoir de détendre l'atmosphère. Il avait récupéré sa moto et était aux anges. Tout à coup, je me demandai ce que je ferais s'il invitait Crispin à rentrer à Chilcot Mendip sur son siège arrière. Je ne pouvais décemment pas empêcher Crispin de sauter sur l'occasion, ce qu'il ferait certainement, et il était évidemment impossible à une troisième personne de prendre place entre eux deux ! Mais, si David avait l'intention d'éloigner de nous Crispin, il était trop subtil pour présenter la chose de cette façon.

Nous prîmes place tous les quatre dans la Jaguar, et David nous suivit seul. Il comptait, nous avait-il dit, s'arrêter à Chilcot Mendip, où il avait appris que l'église possédait de très beaux bronzes.

Nous ne le revîmes plus avant l'heure du thé. J'étais resté toute la journée aux côtés de Crispin, et ma présence constante commençait à l'exaspérer ; aussi, c'est avec un certain soulagement qu'il vit David s'avancer vivement vers notre groupe installé sur la pelouse. Dorothy lui versa une tasse de thé. Crispin prit une chaise pliante, ajusta fermement les montants dans leurs logements et l'offrit au nouveau venu, qui s'y laissa tomber, le teint animé et incroyablement juvénile. Je ne pouvais m'empêcher de trouver cette gaieté trop excessive pour être vraie.

– Quel hasard extraordinaire ! J'ai revu tantôt une de nos vieilles connaissances, Dermot.

– À Wells ? demanda Dermot.

– Non, ici, à Chilcot Mendip. La dernière personne au monde que je me serais attendu à voir ici. Il ne m'a pas aperçu, et le temps de m'arrêter, de garer ma moto, je l'ai perdu de vue ; je me demande ce qu'il peut bien faire en Angleterre…

Dermot se redressa brusquement sur sa chaise, les sourcils froncés.

– Qui ?

– Vous ne devinerez jamais ! Stavros Diakos !

Crispin, qui tenait la tasse de thé de David, la renversa dans la soucoupe, répandant la boisson chaude sur sa main et la manche de David. Avec un mouvement brusque de recul, il étouffa un cri de douleur, puis redressa la tasse en tremblant visiblement.

– Oh ! mon Dieu, je suis désolé ! Comment ai-je pu faire cela ? Je suis d'une maladresse…

Il reposa en hâte la tasse sur la table pour éponger avec précipitation la manche de David. Son visage pâlissait et rougissait tour à tour sous nos yeux. Je ne l'avais jamais vu si déconcerté ; la maladresse était certainement quelque chose de neuf pour Crispin, et elle allait fort probablement le troubler au-delà de toute expression, mais toute l'énergie qu'il mettait à réparer sa bévue et à s'excuser ne pouvait me dissimuler, à moi du moins, que c'était le nom de Stavros qui l'avait tant secoué et pas l'incident.

David accepta la chose avec bonne humeur.

– Ce n'est pas grave, Cris, ne t'en fais pas pour si peu.

– Je vais vous donner une autre tasse, dit Crispin.

Et, dans un effort de volonté, il lui en représenta une sans trembler. Quand il se rassit, je remarquai qu'il avait un peu tourné son siège pour qu'aucun de nous ne puisse le voir de face et, au bout d'un moment, il tira ses lunettes solaires de sa poche et les mit. Elles rendirent à son visage un calme artificiel, mais, comme je me tenais entre lui et les autres, je pus percevoir la rapidité de sa respiration et le tremblement convulsif de sa lèvre supérieure, qu'il maîtrisa en la serrant entre les dents.

« C'est plus que de la surprise, me dis-je. Il a dû reconnaître un de nos visiteurs du soir, celui qui s'est montré. Rien d'étonnant à ce que sa silhouette lui ait paru familière et lui ait causé un tel malaise. »

– Stavros Diakos ? Le chef d'équipe de Bruce ?

Dermot s'était de nouveau appuyé au dossier de sa chaise, mais ses muscles restaient contractés.

– Êtes-vous certain de ne pas vous être trompé ? Voyons, je l'ai quitté à Pirithoön il y a quinze jours. Que diable viendrait-il faire ici ? Il m'aurait certainement prévenu s'il avait eu l'intention de venir en

Angleterre. Et puis, dans quel but ? Vous devez avoir eu des visions, mon vieux !

– C'était Stavros, je vous assure.

David jouissait de la surprise qu'il avait provoquée.

– J'ignore autant que vous ce qu'il peut bien faire ici, mais tout ce que je sais, c'est que je l'ai vu. Il était près d'un magasin de Market Street, non loin de la place. Le temps de garer ma moto dans le square et de revenir sur mes pas pour le chercher, il avait disparu. J'ai parcouru quelque temps les rues de la ville, pensant le revoir. En pure perte. Mais vous pouvez me croire, c'était Stavros.

Lequel des deux mentait ? Dermot était-il aussi surpris qu'il en avait l'air ? Et David ? Y avait-il deux personnes impliquées dans cette affaire, et, dans ce cas, qui étaient-elles ? Et Dorothy, que venait-elle faire dans tout cela ? Dorothy et son amant hypothétique se servaient-ils de Stavros ? Je ne parvenais pas sans un serrement de cœur à imaginer une quelconque machination à laquelle Dorothy aurait pris part, mais il fallait que j'envisage toutes les possibilités.

Quant à Dorothy, elle était restée silencieuse, derrière le plateau à thé, regardant tour à tour, sourcils froncés, les personnes présentes. Ses grands yeux restaient impénétrables. Seul le garçon me laissait voir dans toute son attitude le trouble qui l'habitait. Il restait assis, replié sur lui-même, dissimulant ses yeux derrière les lunettes noires, mais ses doigts serraient nerveusement les accoudoirs de son siège et sa lèvre supérieure était mouillée de sueur. S'il se relâchait un instant, il se remettrait certainement à trembler. Crispin avait eu foi en Stavros, qui l'avait traité comme un fils. De tous les gens qui gravitaient autour de lui à Pirithoön, Stavros était le seul à qui il aurait aimé se confier ; aussi ne pouvait-il se faire à l'idée que ce dernier ait joué un rôle dans le meurtre de Bruce. N'importe qui, mais pas Stavros ! Le cœur de Crispin se briserait s'il devait apprendre une chose pareille.

En le regardant, j'oubliais presque l'indécision et l'anxiété qui tourmentaient visiblement Dorothy, tant le sort du garçon me préoccupait.

XIII

Je pénétrai dans la chambre de Crispin peu avant minuit. Depuis quelque temps déjà, la maison était silencieuse, et je ne désirais pas que mes faits et gestes passent inaperçus, mais je voulais leur donner une allure furtive. Même ceux qui avaient la conscience tranquille ne dormaient pas encore, Crispin certainement pas ; il se tourmentait beaucoup trop.

Cette fois, il s'attendait à me voir, il se tenait prêt aussi à recevoir un autre visiteur, au cas où il se montrerait… Il était au lit, la tête appuyée sur plusieurs oreillers, et j'eus le temps de le voir retirer précipitamment sa main d'en dessous quand j'entrai. La lampe de chevet brûlait encore, à moins qu'il ne l'ait allumée au moment où il m'avait entendu poser la main sur la clenche. C'est avec un visage maussade qu'il me vit traverser la pièce pour m'approcher de lui. Je m'assis sur une chaise à ses côtés.

– Qu'est-ce que c'est que cette histoire de Stavros Diakos ? lui dis-je sans plus de préambule.

– Vous en savez autant que moi, répondit-il froidement.

152

– Stavros était l'homme que tu préférais. Savais-tu qu'il était en Angleterre ?

– Je n'ai plus eu de ses nouvelles depuis mon départ de Pirithoön. Même maintenant, je ne sais pas si David dit la vérité.

Nous parlions à voix basse, mais le bruit que nous faisions paraissait amplifié dans le silence nocturne. Je me demandais si, cette nuit-là, on nous observait des arbres ; peut-être étaient-ils plusieurs ? Ils pouvaient me voir à la fenêtre, éclairé par cette petite lampe qui permettait une identification complète.

Je me levai et m'approchai de la croisée largement ouverte sur la nuit tiède.

– Tu n'es pas sincère, dis-je. C'est Stavros que tu as vu la nuit passée, n'est-ce pas ? Tu n'arrivais pas à le situer hier, mais tu l'as parfaitement reconnu dès que David a prononcé son nom.

– Non, dit Crispin, faisant un tel effort pour mentir que j'eus envie de lui taper dans le dos pour le soulager.

– Comme tu voudras. Quel type d'homme est ce Stavros ? A-t-il déjà voyagé ? Crois-tu possible qu'il puisse être venu en Angleterre ?

– Non, répéta Crispin avec un soupir excédé. Pourquoi l'aurait-il fait ? Il a déjà voyagé ; il a passé plusieurs années aux États-Unis quand il était plus jeune. Il parle parfaitement l'anglais et peut fort bien se débrouiller partout où il va. Mais pourquoi serait-il venu ici ? Rien ne l'y appelle.

– Toi, suggérai-je doucement.

– S'il voulait rester en contact avec moi, il m'aurait écrit. Non, il s'est montré très bon pour moi tant que nous vivions ensemble. Il m'aimait bien. Mais quand les fouilles ont été abandonnées, j'ai bien compris que nous ne nous reverrions plus jamais. Je ne m'attendais pas à recevoir de ses nouvelles. Pourquoi d'ailleurs ? Et pourquoi diable serait-il venu ici sans prévenir ? En outre, ce voyage lui aurait coûté certainement tout ce qu'il possède !

– Dans ce cas, penses-tu que quelqu'un d'autre lui aurait donné l'argent du voyage ? En d'autres termes, travaillerait-il pour le compte d'un autre ?

Dieu sait si je ne voulais pas le tourmenter, mais il fallait que je sache ce qu'il avait en tête, et j'espérais que le bruit assourdi de nos voix parviendrait aux oreilles de tous les intéressés, car la lumière de notre lampe avait certainement dû attirer les guetteurs au-dehors.

– Il ne travaille pour personne, rétorqua Crispin avec hauteur ; il aime trop son indépendance. Je ne crois pas du tout qu'il soit ici. Ou bien David essaie de nous faire gober quelque invention, ou bien il a vu quelqu'un qui ressemblait à Stavros, voilà tout. Stavros est en Grèce, et je ne suis pas assez sot pour croire de pareilles balivernes.

– Alors, qui as-tu vu et presque reconnu la nuit dernière ?

– Je ne sais pas, mais ce n'était pas Stavros, dit-il en serrant les mâchoires et me fixant d'un regard furieux par-dessus ses genoux pliés.

– Mon cher Crispin, si tu as été aussi bouleversé cet après-midi, ce n'est pas d'avoir entendu citer son nom. C'est le fait qu'aussitôt prononcé, tu as su qui était l'homme qui nous épiait dans le jardin.

– Non ! s'écria-t-il, ce n'est pas vrai ! J'ai seulement été surpris d'entendre David dire qu'il était ici, mais j'ai tout de suite réalisé que c'était impossible.

– Tu ne sais pas jouer la comédie, fis-je avec commisération en hochant la tête.

Il ne prit pas la peine de protester ni de me contredire et se roula dans ses couvertures en me tournant le dos.

– Si vous ne voulez pas me croire, il est inutile que je discute avec vous, dit-il.

Puis il s'étira et poussa un grand soupir.

– Très bien, dis-je, résigné. Tu ne l'as pas vu, il n'y avait personne dans le jardin ; il est toujours en Grèce, là où tu l'as quitté. Mais n'oublie pas qu'un homme peut fort bien se déplacer secrètement pour de bons comme pour de mauvais motifs. Il ne faut pas éliminer trop tôt la possibilité que ce soit effectivement Stavros que David ait vu.

– Bonne nuit ! dit Crispin d'une voix un peu moins hostile, un peu moins assurée aussi.

– Bonne nuit, Crispin !

J'avais atteint la porte lorsque sa voix me parvint soudain adoucie. C'est de ce ton affectueux qu'il employait dans ses rares moments d'abandon qu'il me répéta :

– Bonne nuit, Evelyn !

Je rentrai dans ma chambre et finis de fourrer dans une vieille serviette volumineuse des objets enveloppés dans du papier de soie et d'emballage, ficelés savamment comme s'il s'était agi de choses précieuses. La forme des paquets répondait le plus possible à la description que m'avait faite Crispin des reliques qu'il avait découvertes. Le garage de Dorothy avait fourni une grande partie des morceaux de métal qui faisaient office de pectoraux et de masques, et quelques anneaux de rideaux, vieux, tarabiscotés et excessivement laids que j'avais trouvés dans le grenier tenaient lieu de bracelets. Je ne savais à quel point mon « trésor » ressemblait à l'original, en volume et en quantité, mais je me disais que l'homme qui le convoitait avec tant d'acharnement n'en savait pas plus que moi. En la disposant judicieusement, la collection que j'avais préparée entrait tout juste dans la serviette, la déformant affreusement, mais permettant quand même, avec quelques difficultés, de joindre les bouts des courroies et de fermer la serrure. Quand j'eus fini, l'appât pesait raisonnablement lourd et paraissait suffisamment volumineux pour convaincre notre ennemi. C'était une opération à faire à l'abri de tout regard ; aussi avais-je fermé soigneusement les rideaux et travaillé à la lueur d'une minuscule lampe de poche. Si un rai de lumière sous ma porte avait intrigué quelqu'un, tant pis, pourvu qu'il ignorât mes occupations de ce moment.

Je troquai mes vêtements contre un vieux pantalon en flanelle, un chandail noir et des souliers à semelle de caoutchouc. Il était alors minuit et demi, et il me restait encore une chose à faire avant de me mettre en campagne. Deux fois, je me glissai au-dehors pour écouter à la porte de Crispin, et chaque fois, je crus l'entendre remuer dans le lit. À la troisième fois, tout était absolument silencieux. J'ouvris doucement la porte, et le silence persista. Tendant l'oreille dans l'obscurité, je perçus la respiration régulière, calme et sereine de l'enfant. Il dormait paisiblement, tel que je l'avais laissé, le dos tourné à la porte. Il s'était assoupi sans changer de position, sans glisser à nouveau une main sous l'oreiller.

Lui subtiliser son arme fut chose facile. Sa tête reposait sur le bord de l'oreiller et je pus glisser ma main par-dessous, pour tirer le pistolet d'un long mouvement régulier, sans déranger le dormeur. Je ne m'étais pas trompé ; il s'agissait d'un automatique. Je le tenais en main, encore chaud de sa cachette, et je ne m'estimais nullement fier de mon adresse à le dérober, mais j'étais particulièrement heureux de penser que Crispin ne pourrait plus en faire usage pour accomplir l'irrémédiable. De plus, j'en avais besoin beaucoup plus que lui en ce moment. Je porte rarement d'arme à feu sur moi, et il est fort malaisé de s'en procurer rapidement.

Crispin dormait toujours tranquillement, à l'abri du monde et de ses inéluctables vicissitudes. Je m'éloignai de lui en silence, sans qu'il bronche. J'avais l'intention de m'assurer de son repos en verrouillant à nouveau sa porte, au cas où mon appât n'aurait pas réussi à attirer l'ennemi, mais cette fois ce ne fut pas possible : la clé n'était pas dans la serrure. Le moment était mal choisi pour me demander qui l'avait enlevée ; ce devait être Crispin lui même. Peut-être, après tout, ne dormait-il pas pendant mon tour de passe-passe d'hier… Je me tournai vers la fine silhouette étendue dans le lit, prêtant l'oreille à sa respiration profonde et calme : il était impossible qu'il simule un sommeil aussi parfait.

Je regagnai ma chambre et examinai l'arme à la lueur de ma torche électrique. C'était un petit automatique de marque allemande, que Bruce avait sans doute rapporté du Moyen-Orient. Il ne m'était pas familier, et je ne désirais pas allumer la lumière pour l'examiner davantage, mais il me parut de petit calibre, probablement un 30. Bien suffisant pour tuer à faible distance, même manipulé par un débutant. La mesquinerie de mon vol m'apparut moins grave. À présent, Crispin était privé du moyen de commettre un meurtre, et le reste me concernait.

Je descendis l'escalier à tâtons, la serviette sous le bras, déverrouillai la porte-fenêtre du jardin d'hiver et pris pied sur la terrasse. C'était une nuit admirable pour une chasse à l'homme, ni trop claire ni trop sombre, que la lune ne troublait pas par ses ombres tranchantes et sa lumière argentée. J'usai de tous les moyens connus pour me dissimuler, me glissant le long des murs, traversant comme une flèche la cour intérieure, là où elle était le plus étroite, pour disparaître ensuite dans la ceinture de buissons ; je m'arrêtai quelques minutes sous l'arbre le plus proche, me collant au tronc pour ne faire qu'une seule ombre avec lui sous la douce lueur des étoiles. De temps à autre, je me tournais comme pour m'assurer que je n'étais pas suivi… ou pour vérifier que je l'étais.

Personne n'aurait été assez sot pour marcher dans l'allée s'il avait voulu passer inaperçu, mais en se glissant d'arbre en arbre sur une grande étendue gazonnée pour éviter un chemin découvert, un homme peut rendre perceptible sa progression furtive. Des mouvements brusques, quoique silencieux, dérangent l'air de la nuit et lui communiquent des vibrations qui se transmettent sur de grandes distances. Je ne m'arrêtai plus avant d'arriver aux arbres à proximité de la porte du parc. Il ne fallait pas que je me montre trop préoccupé d'être observé, une fois suffisamment éloigné de la maison. Je prêtai l'oreille alors et ne pus rien déceler qui ressemble à un bruit de pas ou à un frôlement de feuilles, rien qui m'indique que j'étais suivi. Il restait cependant une autre possibilité que je n'avais pas encore vérifiée ; il pouvait de nouveau y avoir des guetteurs dissimulés dans le parc qui me verraient passer et suivraient ma trace.

Une petite porte battante se dissimulait dans l'ombre d'un noyer, à côté de la grande grille d'entrée. Comme tout aux Lawns, elle était parfaitement entretenue et s'ouvrit sans un bruit lorsque je la poussai pour passer sur la route. Un large sentier ombragé par les arbres du jardin longeait le mur. Je progressai d'un bon pas le long de la propriété, sachant que les faibles sons que je produisais devaient parfaitement être entendus de quiconque me suivait, malgré le bruissement des feuilles au-dessus de ma tête ; il ne fallait pas que je m'arrête ici ni même que je ralentisse le pas. Dès que j'aurais quitté la route, et que je marcherais de nouveau sur l'herbe, je pourrais me permettre de me dissimuler et de regarder derrière moi ; et là aussi, sur cette pente découverte, mon poursuivant – en supposant que j'en aie au moins un, à présent – serait plus exposé que moi, car il ignorait les obstacles susceptibles de le cacher. Je ne devrais pas prendre trop de précautions lorsque je quitterais la route : s'il avait mordu à l'hameçon, il ne fallait surtout pas que je le sème.

Au-delà du parc des Lawns s'alignaient plusieurs maisons séparées par des jardinets, puis un grand pub moderne. Une allée grimpant vers les collines les séparait, se réduisant peu à peu à un chemin étroit, puis à un sentier de chèvres. Aussitôt après avoir tourné le coin de la rue, je m'appuyai contre le mur, car de toute évidence, mon changement de direction pouvait expliquer l'arrêt du bruit de mes pas. Je ne me risquai pas à regarder derrière moi, car le moindre mouvement à hauteur de tête d'homme n'eût été que trop visible ; je ne savais toujours pas si j'étais suivi. Il ne me restait qu'à attendre en retenant ma respiration.

Quelqu'un était sur mes traces, sans doute possible ! Pour pouvoir l'entendre, il m'avait fallu m'arrêter. Un pas à peine perceptible, rien que le contact léger, régulier, d'une semelle sur le béton sec du chemin, le déplacement du poids d'un homme sur des semelles de caoutchouc, suffisamment fort pour gratter la surface rugueuse ; un bruit qui se situait entre un soupir et un grincement, et tellement ténu que si les feuilles des arbres avaient bruissé à ce moment je ne l'aurais pas entendu. Un son trop contrôlé, trop furtif pour être celui d'un pied honnête rentrant à la maison et, de plus, presque instantanément, sa cadence s'accéléra. Je compris pourquoi : il s'était trouvé assez près de moi lorsque j'avais tourné le coin et il ne voulait pas me voir prendre trop d'avance et risquer de me perdre. Le mur qui nous séparait amortirait suffisamment le bruit pour qu'il… je me rendis soudain compte qu'il s'était mis à courir à longues foulées et, au lieu de rester là à raisonner sur son intention de me rattraper et de m'observer de près, je pris mes jambes à mon cou sur une cinquantaine de mètres.

Je devais garder mon avance. Tout d'abord, il fallait que je le démasque à l'endroit de mon choix et non en un point quelconque du chemin qui le favoriserait plus que moi ; et puis il ne s'étonnerait pas de me voir avancer avec assurance, maintenant que j'étais loin de la maison. Pour le moment, je devais feindre de faire ce qu'il attendait de moi. Trop de regards par-dessus mon épaule pouvaient lui faire soupçonner ma comédie.

Je franchis le contrefort de pierre au bout du chemin et m'engageai sur un sentier rocailleux en pente raide, où personne ne pouvait espérer progresser sans faire de bruit ; la hâte serait ici plus convaincante que la prudence. Un peu plus haut, des touffes d'herbe poussaient à la sauvage et étaient dures aux chevilles. Les sentiers qu'avaient tracés des moutons serpentaient autour des irrégularités du terrain. Je les escaladai comme des marches d'escalier et j'atteignis une pente douce entièrement couverte d'herbe. Sur ma droite, j'avisai un amas de rochers, le premier endroit

m'offrant un abri. Quelques arbres bruissaient doucement dans la brise qui soufflait plus fraîche en cet
endroit désert. Je me dirigeai vers ce point et, dissimulé par les rochers, je regardai derrière moi pour
m'assurer que mon ombre avait trouvé son chemin
dans ce premier labyrinthe.

Je m'étais habitué à l'obscurité, lui aussi certainement. Les contours étaient plus faciles à distinguer
qu'auparavant, et l'étrange lumière rasante, qui fait
ressortir les endroits plus pâles d'un paysage nocturne, me faisait voir très faiblement les parties de
terrain dénudées, tandis que certains affleurements de
roches calcaires m'apparaissaient comme autant de
bandes pâles. Dans cette obscurité indécise, faisant
tache sur ces contours blêmes, je perçus le mouvement de quelqu'un qui, à présent, se rapprochait sans
hâte, à une allure régulière.

Dès que j'eus cette certitude, je ne m'attardai plus.
Si l'intervalle qui nous séparait s'était rétréci quelque
peu lorsque j'apparaîtrais à nouveau dans son champ
de vision, il aurait des soupçons. Je me mis à courir
en tenant les rochers entre nous et rattrapai ainsi les
mètres perdus, avant d'obliquer sur la gauche ; puis
je me dirigeai vers la longue crête ondulante où déjà
je pouvais deviner, sans toutefois le voir, le taillis qui
se profilait sur le ciel.

Dès ce moment, je ne regardai plus derrière moi ;
je ralentis l'allure, comme si la pente m'avait fatigué
et comme si j'avais la conviction d'être absolument
seul. L'entrée dans la caverne allait être délicate, et
tous mes mouvements devraient être calculés avec
soin. J'allais m'exposer dangereusement lorsque je
franchirais sur les mains et les genoux l'entrée percée
dans le rocher. Mon poursuivant pourrait se croire à
l'abri de tout et m'assommer ou me tuer d'une balle

de revolver, puis me balancer dans le puits au lieu d'attendre et de voir ce que j'allais faire de mon fardeau ; mais j'avais l'impression qu'il ne me tuerait pas s'il pouvait l'éviter. Pourquoi d'ailleurs l'aurait-il tenté, s'il parvenait à mettre la main sur ce qu'il convoitait sans se créer l'embarras de laisser un cadavre derrière lui ? Si, comme je l'espérais, il avait la conviction que je transportais l'or sous le bras, il devait avoir la certitude que je l'avais apporté ici pour le cacher. Tout ce qu'il avait à faire était d'attendre que je m'en aille pour s'en emparer ensuite. Pas d'ennuis, aucune poursuite à craindre, puisque les objets avaient été volés et que nous ne pouvions nous plaindre à la police ; aucun corps découvert à un moment inattendu, aucun délit, aucune preuve. Ce serait une folie d'agir trop tôt et de prendre tous les risques que cela entraînerait.

Je me demandai pour la première fois si je n'avais pas choisi un chemin trop difficile à parcourir dans l'obscurité. Je pourrais difficilement prétendre n'avoir rien entendu s'il tombait la tête la première dans le puits… Mais il était trop tard pour penser à tous les accidents éventuels : ce plan comportait dès le départ une marge d'imprévu. Nous ne pouvions reculer, même si nous l'avions voulu.

Je me glissai entre les arbres et me penchai vers l'entrée à moitié cachée du puits. Craignant que l'autre ne m'ait perdu de vue pendant quelque temps, ou qu'il ne soit incapable de situer avec précision l'endroit où j'avais pénétré dans le rocher, je me cognai la tête en me baissant pour passer par l'ouverture et poussai un furieux juron à voix basse, mais qui me parut résonner comme un cri. Je laissai la pointe de mes souliers gratter la pierre en me glissant à l'intérieur pour qu'il entende les mouvements qu'il ne pouvait voir.

À présent, j'étais à l'intérieur, cherchant à tâtons le bord du puits et les pitons qui retenaient notre échelle de corde. Je me laissai descendre lentement, m'assurant de chaque échelon avant d'y prendre appui. À plusieurs reprises, je poussai des exclamations étouffées pour qu'il se rende compte de l'existence de ce passage. J'avais fait tout ce que je pouvais pour qu'il me suive sans risque et silencieusement, sauf l'éclairer d'une torche pendant sa descente ; une fois arrivé dans la galerie où nous avions caché nos combinaisons boueuses, nos lampes et nos cordes, je déposai ma torche sur le sol.

Je pris tout mon temps dans cette première chambre, en partie pour m'assurer qu'il n'avait pas perdu ma piste et aussi pour lui donner l'occasion de jeter un regard vers le bas et voir ce que je faisais. Tout d'abord, je fourrageai dans le coffre qui contenait nos affaires, en retirai une petite lampe que j'allumai et posai tout près de la cheminée. Au moment où j'avais fini de boucler ma ceinture, à laquelle était fixée, sur le devant, notre lampe la plus puissante, et après m'être accroché au côté la grosse serviette, je savais qu'il était là-haut et pénétrait dans l'entrée. Je pouvais entendre de légers bruits de pas et des froissements d'étoffe, puis ce fut le silence. Dix mètres à peine nous séparaient. J'étais un peu en dehors de son champ de vision, me semblait-il, mais la lumière que j'avais laissée lui ferait voir l'échelle de corde et le fond raboteux au-dessous de lui ; cela l'empêcherait de se casser le cou avant que je ne sois en mesure de le faire moi-même.

Je n'allumai pas la grosse lampe que j'avais à la ceinture, la réservant pour plus tard. Au lieu de cela, je coiffai un des casques de mineur que nous avions employés lors de notre première exploration et qui était muni d'une petite lampe frontale suffisante pour me diriger et lui indiquer mes déplacements. J'emportai une troisième lampe ; c'était plutôt une lanterne à fond plat qui resterait droite sur n'importe quelle surface horizontale. Garnie d'une poignée, je pouvais l'accrocher à ma ceinture sans gêner mes mouvements. Enfin, je pris un rouleau de corde sur l'épaule et parcourus l'étroite chambre froide et visqueuse, aux parois dégoulinantes, pour m'engager dans la grande galerie située au-delà. Je ne me retournai qu'une fois pour voir l'extrémité de l'échelle de corde frémir et se tordre dans ses pitons : mon poursuivant se rapprochait ; c'était tout ce que je désirais.

Les cavernes ne connaissent ni jour ni nuit ; rien que cette éternelle obscurité froide, humide, oppressante et secrète. Un frisson me parcourut, et je regrettai d'avoir mis mes souliers à semelles de caoutchouc qui glissaient sur le sol détrempé et boueux, surtout au bord du trou qui donnait accès à la galerie inférieure. J'avais déjà perdu la notion de l'heure. Les ombres qui dansaient sur les parois, les scintillements que me renvoyaient chaque aspérité humide, chaque anfractuosité de la roche, étaient identiques à ceux que nous avions vus pendant la journée. J'étais déjà aussi sale que lorsque j'étais venu ici avec Crispin la fois précédente.

Je me penchai au-dessus du col de la cheminée renversée et sentis un courant d'air froid me fouetter le visage. Le bruit de l'eau me parvint de la rivière souterraine, qui coulait dans les profondeurs terrestres, curieusement renvoyé d'un mur à l'autre en petits échos confus. J'avais l'impression d'entendre quelqu'un marmonner pendant son sommeil, dans une autre chambre. Plus bas, dans la grande galerie, le bruit serait assourdissant.

L'autre m'avait-il déjà rejoint ? J'étais persuadé à ce moment de sa présence toute proche, et, avec ce picotement dans les cheveux, j'eus la sensation d'un regard braqué sur moi. Il était facile de se dissimuler ; les parois de cette galerie étaient très irrégulières ; s'il voulait se rapprocher, il le pouvait, et sans prendre beaucoup de risques. Le murmure croissant de la rivière couvrait tous les autres bruits, comme s'il se les assimilait, du moins jusqu'à ce que l'oreille s'y fût habituée. Je l'entendis remuer à l'autre extrémité de la galerie, non pas une seule fois, mais à trois reprises... rien que le frottement d'un vêtement contre les roches glissantes, et chaque fois plus distinct. Je regardai autour de moi avant de me pencher pour examiner les nœuds qui retenaient notre longue échelle à ses crampons solidement enfoncés dans une fente du rocher à un mètre du bord de l'oubliette. Le pinceau lumineux dansa devant moi comme je tournais la tête, arrachant à l'obscurité une petite tache brillante, pour donner vie aux rochers, mettant en relief leurs plus petits détails avant de les rejeter dans l'obscurité.

Sur ma tête, je sentais le poids et la solidité de la terre, aussi indifférente que celle d'une tombe. Loin de moi, au plus profond de l'obscurité, un pied bougea, puis s'immobilisa.

L'échelle était solidement fixée ; les crampons étaient plantés dans une fente de telle façon que le poids d'un homme les enfoncerait encore plus profondément au lieu de les déloger. Nous nous en étions assurés lors de notre première descente. Je rajustai ma ceinture, m'approchai doucement et à reculons du bord de la cheminée et gagnai l'échelle.

Un froid intense et humide me saisit comme si je m'enfonçais dans une eau glacée ; des gouttes d'eau me tombèrent sur la tête et les épaules. Dès que j'eus franchi le goulot, je me balançai dans le vide car les parois s'écartaient de moi dans toutes les directions. Derrière moi, la galerie inférieure s'étendait sur sa plus grande largeur, tandis que devant, la paroi située à deux mètres de distance se rapprochait à mi-hauteur de la descente, ce qui nous avait d'ailleurs permis d'attacher l'échelle à cet endroit. Dans les derniers six mètres, l'échelle, parfaitement droite, pendait contre la muraille lisse, glacée et brillante, aussi n'avions-nous pas jugé utile d'en attacher l'extrémité qui traînait librement sur le fond.

Je descendis lentement, la lanterne, le rouleau de corde et la serviette ballottant à ma ceinture, gênant mes mouvements. J'avais agi avec détermination pour donner l'impression que je n'étais plus sur mes gardes, mais très à l'aise, puisque à l'abri des regards indiscrets. Il fallait maintenant que je prenne tout mon temps tandis qu'il se dépêchait pour rattraper son retard. Ce qu'il me restait à faire devait durer plus longtemps que sa descente et produire assez de vacarme pour couvrir ses mouvements. Heureusement la salle était immense, et par surcroît le grondement de l'eau, qui coulait beaucoup plus bas, couvrit presque tous les bruits sans que j'aie à en faire de trop.

Je touchai le fond, mettant le pied avec précaution sur un sol inégal, luisant de dépôts d'un brun rougeâtre. La longueur de la salle, dont une toute petite partie était éclairée par la lampe de mon casque, se perdait dans les plus profondes ténèbres. À ma droite, la haute paroi était drapée de traînées visqueuses et rougeâtres qui s'étaient superposées au cours des siècles. À ma gauche et sur la moitié de sa longueur, la muraille était lisse, puis se creusait sur environ deux mètres pour former une arche au-dessus du vide, d'où montait le mugissement sauvage de la rivière souterraine et bondissante qui s'écrasait en myriades de gouttelettes au long de ses chutes successives.

J'espérais que mon guetteur avait observé ma descente avec assez d'attention pour avoir repéré mes mouvements et le terrain où je me trouvais ; je pouvais difficilement lui laisser une lampe au pied de l'échelle pour lui faciliter la tâche. Mais, jusqu'à présent, je n'avais pas à me plaindre de sa maladresse. Il se comportait comme je l'avais prévu ; il n'avait pas détaché l'échelle et ne m'avait pas fait faire la culbute sur les rochers, douze mètres plus bas. En se servant d'une autre corde de notre réserve, il aurait facilement pu s'emparer de la serviette, mais la découverte de mon cadavre par un éventuel visiteur aurait risqué d'être gênante. Non, il se conduirait très raisonnablement et discrètement, me laissant cacher mon trésor sans intervenir, puis il s'en irait, pour revenir ensuite le chercher tout à son aise. Si les choses se passaient comme il le présumait, il aurait gardé l'anonymat, et si par hasard c'était un traquenard – entretenait-il ce soupçon ? J'aurais donné gros pour le savoir –, il n'aurait rien perdu et serait resté éloigné du piège, observant ses ennemis sans leur donner aucune révélation sur lui-même.

Je raisonnais ainsi tout en m'éloignant de l'échelle et je me dirigeai vers le gouffre, où j'allumai ma lampe de réserve avant de la déposer sur un petit monticule proche de l'abîme. Plusieurs stalactites et stalagmites allant à la rencontre les unes des autres, distantes de quelques centimètres, formaient une arcade autour du trou, comme un de ces abris fantaisistes construits sur les belvédères surplombant les chutes d'eau les plus célèbres. La lampe éclairait magnifiquement tout ce coin de la salle, tandis que l'échelle restait noyée dans l'obscurité à quelque distance de moi. J'espérais que l'inconnu était déjà à mi-hauteur et continuait à descendre en hâte. Du haut de l'échelle, il ne pouvait voir ce que je faisais et il n'avait d'autre choix que de descendre ; il ne se serait pas donné toute cette peine jusqu'ici pour tourner les talons si près du but.

Le bruit était assourdissant. Il devint bientôt terrible par l'impression de force qu'il dégageait. Il couvrait complètement tous les autres sons ; un bataillon entier aurait pu employer notre échelle que je ne l'aurais pas entendu. Je pris tout mon temps, m'arrangeant pour rester en pleine lumière. Je déroulai ma corde et en attachai une extrémité à la poignée de la serviette, puis l'autre autour du pied d'une des stalagmites à l'extrême bord du gouffre. Ensuite, je laissai descendre le « trésor » par-dessus le bord avec précaution jusqu'à ce que ma corde soit tendue sur toute sa longueur. Cette cachette ne convenait certainement pas à des objets précieux qu'on aurait voulu dissimuler pendant une longue période, mais en cas de besoin, elle était extrêmement sûre, parce que inédite. La serviette était totalement invisible, même en se tenant à côté du point d'attache de la corde, car sa couleur se fondait avec celle de la stalagmite.

Lorsque j'eus fini, je soupirai, m'étirai et poussai même la comédie jusqu'à allumer une cigarette. C'était un geste tout à fait normal après une telle opération. Était-il déjà descendu ? Oui, sûrement. Mais quant à savoir à quelle distance il se trouvait de moi… J'aurais quelque chance de l'entendre lorsque je retournerais vers l'échelle, loin du gouffre mugissant d'où s'élevait une colonne de vapeur d'eau. Je jugeai qu'il devait m'avoir vu assez longtemps pendant sa progression et que, à présent, il avait atteint la paroi où les concrétions calcaires lui permettaient de se dissimuler. Je tendis l'oreille dans cette direction et m'approchai de l'échelle sans me presser. Je n'avais rien fait pour provoquer ses craintes. Les échelles étaient fixées, il ne me soupçonnerait pas d'avoir l'intention de les retirer après mon départ. Je passai en revue tous mes faits et gestes et n'y trouvai rien à redire.

J'écrasai ma cigarette, puis repris ma route. Quand l'échelle m'apparut, contre le mur brun et brillant, j'éteignis la lampe que je portais, ne laissant allumée que celle de mon casque ; mais avant de toucher l'échelle, j'avais posé une main sur le bouton de la lanterne pendue à ma ceinture, et l'autre sur le petit pistolet, dans ma poche.

Je passai non loin de lui, je le sentis. Peut-être avais-je perçu un léger bruit, ou était-ce une vague de chaleur humaine infiniment faible qui m'avait touché dans ce froid pénétrant ? En fait, je n'eus aucun doute et je ne m'étais pas trompé ; je me tournai vers lui comme vers un aimant. Juste au moment où mon bras effleura l'échelle, j'entendis un bruit qui me surprit, car il n'aurait pas dû se produire ; un frôlement pareil à une lutte dans l'obscurité, à l'endroit où je portais toute mon attention. Une inspiration brève et aiguë s'arrêta soudain dans le silence oppressant.

J'allumai la lanterne, le pistolet braqué en direction du bruit. Le puissant rayon illumina la caverne, révélant tous les détails de la salle, élevant de vertigineuses murailles de roches luisantes, projetant des ombres abruptes.

– Restez où vous êtes. Ne bougez pas !

Ils ne firent aucun mouvement. Les yeux de Crispin, énormes, désespérés et ivres de fureur et de honte, se fixaient sur moi par-dessus le bras qui le tenait fermement à l'épaule et en travers du visage, l'étranglant à moitié et le soulevant presque du sol. Ses mains, levées pour écarter ce bras, demeuraient en l'air ; son corps dressé sur les pointes des pieds était courbé en arrière en un arc douloureux qui rendait presque visible le revolver pressé contre son dos.

L'homme qui le maintenait me glaçait de son regard, bravant la clarté aveuglante de la lampe en clignant des yeux. Il avait le visage mince, les joues creuses et un menton aux lignes nettes. Ce n'était ni Dermot ni David. Une petite moustache grise lui donnait une allure militaire. Ses cheveux gris blanchissaient aux tempes ; il devait avoir dépassé la cinquantaine et me rappelait vaguement Bruce Almond.

Je le connaissais, bien que je n'aie observé de près les traits de son visage que sur la couverture d'un livre. C'était le maillon qui nous avait échappé, l'homme invisible, l'expert : le professeur John Barclay.

XIV

Nous restâmes ainsi sans bouger un long moment. C'était absurde et horrible à la fois. Crispin étouffait, et j'essayais frénétiquement de trouver une issue à cette situation pendant que Barclay me mesurait du regard. Il abaissa vivement son bras sur la poitrine du garçon, le serrant contre lui et dégageant ainsi sa bouche. Les joues blêmes de Crispin redevinrent lentement roses, comme le sang lui revenait au visage ; les traces laissées par la manche de l'homme le marquèrent comme des balafres. Il ne dit rien ; il me regardait de ses yeux tristes, furieux mais impuissants. Que pouvions-nous ? Je n'osais pas bouger un muscle, par crainte de mettre la vie du garçon en danger.

Les lèvres de Barclay s'allongèrent en un sourire méchant. C'était un rictus de satisfaction : il avait pris l'initiative.

– Pas un geste ! ordonna-t-il à son tour, d'une voix coupante. N'essayez pas de faire le malin, n'éteignez pas cette lampe et ne bougez pas les mains. Au premier mouvement suspect, je tue le gosse.

J'étais sûr qu'il le ferait. Je crois que jamais dans ma vie je n'ai gardé une telle immobilité. Le sourire s'élargit en une grimace.

– Voyez-vous, dès que je l'ai senti sur mes talons, je me suis dit qu'il pourrait m'être utile. Alors j'ai pris bien soin de ne pas l'effrayer trop tôt. C'est fort aimable de sa part de s'être joint à nous, n'est-ce pas ? S'il ne l'avait pas fait, nous nous serions trouvés face à face, à armes égales... et sur votre propre terrain ; j'ai eu de la chance !

Je ne dis rien et ne bougeai pas. S'il continuait à parler, mon esprit trouverait peut-être un début de solution, et Dieu sait si c'était nécessaire, tant il était paralysé par la stupeur.

– Je crois vous avoir fort surpris, dit-il avec courtoisie. J'en suis désolé !

Son expression démentait ses paroles : pour la première fois, il paraissait réellement jubiler.

– Vous lui faites mal, dis-je, voyant Crispin se mordre les lèvres. Ne le serrez pas si fort, vous avez un revolver dans son dos, que vous faut-il de plus ?

Il ne tint nullement compte de mes paroles et ne relâcha pas l'étreinte qui maintenait le dos de Crispin contre son arme.

– Maintenant, dit-il, comme si je n'avais pas parlé, veuillez avoir l'obligeance de vous approcher de ce trou et d'y jeter votre pistolet. Uniquement par égard pour l'enfant, bien entendu. D'abord, déposez cette lanterne et laissez-la allumée. Bon ! Maintenant le pistolet, s'il vous plaît. Je surveille tous vos mouvements, alors je vous conseille de contrôler vos réflexes. Jetez ce pistolet.

Je ne pouvais rien faire d'autre qu'exécuter. Très ostensiblement, je lui obéis afin qu'il n'ait aucun doute sur mes intentions. Le faisceau lumineux de la torche pendue à ma ceinture quitta les deux silhouettes et me précéda à travers la salle jusqu'au bord du gouffre. La vapeur blanche et brillamment illuminée s'élevait doucement de l'abîme. Le pistolet disparut à ma vue comme une petite pierre brillante. Le grondement de la rivière ne permit pas d'entendre le bruit de sa chute ; ce gouffre semblait sans fond !

– Très bien ! dit la voix derrière moi. Et maintenant, remontez cette serviette que vous venez de descendre.

Je pris tout mon temps pour lui obéir, en prenant bien soin de me placer de telle sorte qu'il voie mes mains pendant toute l'opération. Je ne pouvais prendre aucun risque avec la vie de Crispin, car les yeux, la voix et les lignes dures de la bouche de cet homme me signifiaient clairement qu'il n'hésiterait pas à tuer. Je crois que c'est à ce moment-là que j'acquis la certitude que Bruce avait été assassiné. Ce calme implacable était celui d'un homme qui avait déjà un meurtre sur la conscience et qui ne reculerait devant rien pour parvenir à ses fins.

J'avais un seul espoir, celui qu'il soit convaincu de la réalité de ma mission nocturne, qu'il s'empare de la serviette fermée et sans clé, telle qu'elle était, puis s'en aille, persuadé d'avoir ce qu'il était venu chercher. Mais nous laisserait-il la vie sauve alors que nous avions vu son visage ? C'était probable, même certain. Personne ne pouvait prouver que Bruce avait été assassiné, aussi ne risquerait-il pas d'être accusé de meurtre. Il éviterait certainement d'user de violence, d'autant plus qu'il devait fort bien avoir compris que nous hésiterions à mêler la police à une affaire d'objets volés. Une guerre privée l'arrangeait beaucoup mieux. Nous aussi d'ailleurs. Il n'hésiterait pas à nous tuer de sang-froid s'il y était forcé ou s'il y trouvait un avantage supplémentaire.

Tout en attirant vers moi la serviette, qui heurtait les rochers, je lui jetai un regard de côté et me demandai ce qu'il allait faire ; je ne savais rien de lui, n'ayant vu que son visage, le visage le plus inquiétant que j'aie jamais vu de ma vie, le plus implacable aussi, par l'indifférence qu'il montrait pour nos deux vies.

Toute scintillante des fines gouttelettes qui la recouvraient, la serviette gisait enfin à mes pieds.

– Détachez-la de la stalagmite et déposez-la au pied de l'échelle avec la corde, puis éloignez-vous. J'espère que vous ne serez pas assez stupide pour toucher l'échelle vous-même.

Je fis exactement ce qu'il m'avait ordonné. Quand je tournai de nouveau vers eux le rayon de ma lampe, je vis que la tête de Crispin reposait sur l'épaule de l'homme, les yeux clos. Ses sourcils étaient froncés en une expression douloureuse, la lèvre inférieure serrée entre ses dents. S'il n'avait pas été tenu si fermement, je crois qu'il serait tombé évanoui. Il n'avait toujours pas dit un mot.

– Maintenant, allez jusqu'au bout de la galerie. Pas de blagues, ou le garçon sera le premier à en subir les conséquences.

Je lui obéis. Une fois encore, que pouvais-je faire d'autre ? Mais je reculai lentement, les yeux toujours fixés sur eux. Ils se tenaient immobiles contre la paroi, presque à mi-distance entre moi et l'endroit où je devais aller.

– La serviette est-elle fermée à clé ? me demanda brusquement l'homme, au moment où je me trouvais presque à leur hauteur.

– Vous verrez bien, lui dis-je en m'arrêtant.

Il enfonça sauvagement le canon du revolver dans le dos de Crispin.

– La serviette est-elle fermée ? répéta-t-il du même ton.

– Oui.

174

Une colère folle m'envahit si soudainement que je parvins à peine à maîtriser ma voix et l'expression de mon visage.

– Où est la clé ? Vous l'avez sur vous ?

– Non. Pas ici. Elle est dans ma chambre, aux Lawns.

Il eut l'air de me croire.

– Allez jusqu'au bout, me dit-il avec un haussement d'épaules.

Je fis encore deux pas, lentement, hésitant à les dépasser et à me trouver hors de sa portée. Allait-il, par quelque heureux hasard, ouvrir la serviette ici ? Non, je rejetai tout de suite cette idée. Ç'aurait été folie de sa part que de détourner son attention de nous deux, fût-ce même une seconde, et il était loin d'être fou. Non. Même s'il soupçonnait déjà que le contenu de la serviette était truqué, il l'emporterait jusqu'à une galerie supérieure pour l'examiner à son aise. L'échelle était le seul moyen de sortir de là, et il contrôlerait l'issue du dessus aussi longtemps qu'il aurait son revolver. Aussi pourquoi prendrait-il des risques ? Pourquoi se presserait-il ? Non, nous n'aurons pas la chance de voir chez lui l'avidité et l'impatience prendre le pas sur la prudence, pour lui faire détourner les yeux le temps de me permettre d'agir. J'écartai cette idée.

J'étais à leur hauteur lorsque Crispin se laissa subitement aller en avant de tout son poids, s'échappant du bras qui le maintenait. Tout de suite, je compris que c'était une feinte, et qu'il allait droit à la mort avant même de toucher le sol.

– Non, Crispin, *non* ! m'écriai-je tout en bondissant vers eux pour faire dévier, si c'était possible, la riposte inévitable qui allait suivre et pour profiter du moment de flottement qu'il m'offrait.

Son geste avait été si inattendu qu'il échappa presque à l'homme. Comme une anguille, il se dégagea du bras qui l'encerclait, glissant devant le canon du revolver. Tout en se laissant tomber, Crispin tendit les mains et agrippa le poignet de l'inconnu ; il le força sur son épaule et tira vers le bas de toutes ses forces en courbant le dos violemment.

Le coup partit et le bruit retentit dans la salle avec un fracas assourdissant. Je me retrouvai sur le sol, me roulant désespérément, essayant de me remettre sur mes genoux, puis de me relever, tâchant d'atteindre Crispin, mais retombant à chaque effort. Le sang ruisselait sur ma cuisse avant même que je n'éprouve la moindre douleur. De curieux moments de faiblesse m'envahirent et, entre chacun d'eux, je vis, avec une extraordinaire clarté, la tentative de Crispin tourner court.

S'il avait eu un peu plus de force, il aurait pu faire perdre l'équilibre à son ennemi et l'envoyer rouler sur le sol par-dessus son corps. Mais sa vigueur n'était pas à la mesure de son courage ; j'avais prévu cette issue dès le début. Solidement planté sur ses longues jambes, l'homme résista à la traction de l'enfant, puis, saisissant de la main gauche Crispin par les cheveux, il le remit brutalement debout et lui décocha un violent coup de genou dans les reins. L'enfant fut projeté à plusieurs mètres de distance, vers l'extrémité de la galerie qui se rétrécissait, et tomba sur le visage avec un bruit sourd.

J'étais sur un genou, le droit, le seul qui m'obéissait encore ; je vis, entendis et sentis cette chute comme si elle était mienne. Je plongeai vers un grand pied qui, pendant une seconde, parut être à ma portée, mais il était à des mètres de distance. Le sang coulait

de plus en plus abondamment, puis une douleur ful-
gurante me traversa la cuisse, et je m'évanouis.

Je repris vaguement connaissance et, pendant un
instant, comme dans un cauchemar, je vis un grand
flot de lumière balayer le sol et mon corps, comme si
cette lueur provenait de ma blessure ; un peu plus loin
dans la pénombre, Crispin, haletant, s'efforçait désespérément de retrouver sa respiration, comme s'il se
noyait dans mon sang. Il était accroupi, courbé en
deux sur ses bras repliés, le visage caché à ma vue.
Je voulus aller vers lui, mais lorsque j'essayai de me
traîner dans sa direction, mes forces m'abandonnè-
rent et ma vue se brouilla de nouveau.

XV

Quand je revins à moi pour la deuxième fois,
Crispin était agenouillé à mes côtés. Une douleur
lancinante me brûlait l'aine, et une grande lumière
nous baignait tous les deux ; cette fois, elle ne provenait plus de mon corps, mais du sol de la
caverne, tout près de moi. Crispin avait ôté sa ceinture et s'efforçait d'arrêter l'hémorragie. Son visage
penché au-dessus de moi m'apparut comme un
Rembrandt, fait d'ombres profondes et d'éclats
lumineux. Il semblait mal en point lui aussi, mais
il était calme. Une de ses joues était éraflée, sa
figure maculée de boue et sa respiration difficile.
Il avait dû se traîner jusqu'à moi dès qu'il avait
repris un peu de forces.

Crispin me vit ouvrir les yeux et cessa de tourner
le crayon dont il se servait pour serrer le garrot
improvisé qu'il avait placé autour de ma cuisse. Il me
sourit, malgré l'effort que cela lui causait.

– Je sais qu'il n'y a pas moyen de placer un tourniquet vraiment efficace sur l'artère fémorale, dit-il
en s'excusant ; je pourrais utiliser mes pouces, mais
je crois que je vais en avoir besoin.

C'étaient des paroles bien singulières à entendre dans les circonstances présentes, mais elles étaient du plus pur Crispin. Je me surpris à penser, de façon tout à fait inattendue, que vivre avec lui serait un problème. Si bien entendu notre vie devait continuer.

– Où est-il ? demandai-je.

– Il vient de disparaître dans la galerie supérieure. Il a pris l'autre lampe. Même si vous étiez hors de combat, il n'allait pas prendre le risque d'examiner son butin ici. Pourquoi l'aurait-il fait ? Il a tout le temps. J'ai pris toutes les pièces de monnaie de la poche de votre pantalon et je les ai mises dans mon mouchoir pour en faire un tampon. J'espère que vous ne m'en voulez pas. Je regrette, cela doit vous gêner beaucoup, mais je ne trouvais rien d'autre.

En moins de cinq minutes, il avait fait tout ce qu'il pouvait pour moi. Avec difficulté je tâtai ma cuisse d'une main aussi lourde que du plomb. Au-dessous du linge tordu qui m'entrait dans la chair, la jambe du pantalon avait été coupée et un bandage épais en tissu moelleux avait été noué très serré autour de ma blessure.

– C'est quoi… le pansement ?

– Mon tee-shirt, il n'y avait rien d'autre. Mais je n'ai pas froid, dit-il sur la défensive, le menton traversé d'un frisson.

Il n'aurait pas dû dire cela, car jusqu'à présent le choc m'avait empêché de me rendre compte combien il faisait froid ! La pierre autour de moi était mouillée, ce n'était pas de l'eau, mais du sang, et je sentais un point brûlant sous ma jambe.

– J'ai une artère sectionnée ? Tu en es sûr ?

Il inclina la tête d'un air malheureux.

– Pas l'artère principale, je crois, sinon je n'aurais pas pu arrêter l'hémorragie. Le tourniquet a l'air de faire l'affaire, après tout. Seulement, il ne faudrait pas que vous le gardiez trop longtemps.

– Je vais très bien.

On ne pouvait même pas considérer cela comme un mensonge, car je n'avais ni l'intention ni l'espoir de le tromper au sujet de notre situation. Il resta accroupi, repoussant en arrière les cheveux embroussaillés qui lui recouvraient le front. Nous nous regardâmes : il savait comme moi que nous étions pris au piège, que, dans un délai très court, l'homme qui se trouvait en haut reviendrait nous poser la question à laquelle seul Crispin pouvait répondre. Il avait des moyens de persuasion si nous nous obstinions. Et c'était moi qui avais choisi cet endroit parmi tant d'autres pour cette confrontation et qui avais attiré le garçon à ma suite.

– Je regrette, Cris, dis-je, j'ai tout raté.

– Pas du tout. C'est de ma faute. C'est à cause de moi que vous êtes blessé et si… si nous… ce sera ma faute aussi. Si je ne vous avais pas suivi, vous vous seriez trouvé face à face, à armes égales, comme il l'a dit. C'était bien ce que vous cherchiez, n'est-ce pas ?

– Bon Dieu, pourquoi n'avez-vous pas continué à dormir et n'êtes-vous pas resté en dehors de tout ceci ? dis-je faiblement.

– Je ne dormais pas. J'ai senti votre main sous l'oreiller et j'ai compris que vous me preniez le pistolet. Je me suis levé et j'ai écouté à votre porte. Je vous ai entendu remuer et je me suis habillé pour me tenir prêt au cas où quelque chose arriverait. Quand vous êtes descendu, je vous ai suivi.

– Quand a-t-il commencé à me suivre ? Dans le jardin ?

– Oui. Je l'ai vu sortir des buissons et se glisser par la grille derrière vous. J'ai cru bien faire en vous filant tous les deux, sans qu'aucun de vous ne le sache. J'ai pensé que je pourrais être utile. Et voilà à quoi cela a servi !

Un sourire de regret creusa un instant sa joue éraflée.

– Ne sois pas stupide ! Comment aurais-tu pu deviner ce que j'allais faire ? Le seul mérite que j'aurais pu avoir à prendre cette affaire en main, dis-je avec amertume, était de m'en sortir avec brio ; et je n'ai même pas réussi à te prendre en défaut : je te croyais profondément endormi pendant que nous réglerions nos comptes. J'aurais dû m'en douter quand j'ai vu que la clé n'était pas dans la serrure !

– J'ai compris pourquoi vous m'aviez enfermé, dit vivement Crispin. Je ne vous en ai pas voulu. Seulement, je ne pouvais pas vous laisser recommencer. Ce n'est pas par manque de confiance que je vous ai suivi. Je savais que vous étiez de mon côté, mais… vous comprenez, n'est-ce pas, je devais connaître vos intentions. Cette affaire me concernait, je ne pouvais pas rester couché là et vous laisser faire tout le boulot…

– Non, lui concédai-je, tandis que la douleur cuisante d'une crampe s'emparait lentement de ma jambe, tu ne pouvais pas. J'ai été présomptueux, comme tous les autres adultes. Je ne pouvais pas te laisser régler cette affaire à ta manière ; il a fallu que j'agisse à ta place. Et vois tout le gâchis que j'ai fait !

– C'était raté d'avance, dit Crispin.

Une vague de douleur me submergea et me donna la nausée. Ma vue se voila de nouveau, mais seulement quelques secondes. Quand je revins à moi, le garçon se penchait de nouveau sur moi.

– Evelyn ! murmura-t-il, anxieux.

– Tout va bien, Cris, tout va bien ! Crispin... je ne peux pas tourner la tête assez loin pour voir... Donne-t-il signe de vie ? Vois-tu une lumière ou quelque chose au sommet de l'échelle ? Pourrais-tu grimper jusque-là sans te faire voir ? Tu peux te cacher là-haut, et tu te glisserais vers la sortie quand il redescendra. Si nous éteignons cette lampe, il ne remarquera pas qu'un de nous lui a échappé.

Il ne regarda même pas ; les mots, l'idée même ne le touchèrent pas. Il se borna à m'adresser son sourire en coin d'enfant précoce et secoua la tête.

– Il a relevé le bout de l'échelle avec lui jusqu'au premier étage. Il n'y a pas moyen de remonter par ce chemin avant que quelqu'un ne soit descendu. Et il n'a rien oublié ; cet homme ne laisse rien au hasard.

Il se penchait tout près de moi ; je suppose qu'il me restait fort peu de voix et qu'il devait approcher son oreille de mes lèvres pour m'entendre au-dessus du vacarme que faisait la rivière souterraine. Je me rappelle les sillons de sang séché le long des éraflures de sa joue déjà enflée, ses yeux immenses et farouches posés sur moi avec anxiété.

– Dire que je n'ai même jamais pensé à lui, dit Crispin avec amertume. Qui était le plus capable de juger exactement de la valeur d'une pareille découverte ? Et qui, mieux que lui, savait que Bruce accepterait son avis sans l'ombre d'une contestation ? C'était trop simple ! L'idée ne m'a même pas effleuré !

Il passa la main sur son front maculé et se frotta les yeux. Je le sentis soudain trembler de rage et d'amertume contre mon flanc, maudissant son peu de perspicacité.

Ce n'était pas à Pirithoön, ce n'était pas au cours du voyage à Athènes, lorsqu'il avait été confié à la garde de David, que le masque de Crispin avait disparu et avait été remplacé par une copie. C'était dans le bureau de Barclay à Athènes. Un seul coup d'œil à l'objet avait sans doute suffi à faire comprendre à Barclay que cette sépulture inviolée d'où il provenait constituait une des plus fabuleuses découvertes depuis la mise au jour des ruines de Troie par Schliemann. Les experts, les sommités même, sont des êtres humains comme les autres, capables de convoiter la découverte d'un autre homme, surtout si le hasard veut que ce dernier soit un amateur comme Bruce Almond. Était-ce l'or qu'il désirait, ou la célébrité ? Quel qu'il soit, son objectif était facile à atteindre. Garder le masque, le copier et renvoyer le faux... Il pouvait difficilement écrire que la chose était une imitation sans la retourner ; les experts ne se débarrassent pas aussi simplement des objets qu'on leur envoie pour connaître leur opinion, si insignifiants soient-ils. Mais qui était mieux placé que lui pour fabriquer la copie, avec toutes les reliques – authentiques ou pas – dont il disposait ?

– Il y avait peu de chances pour que quelqu'un prenne la peine d'examiner l'objet de près après qu'il l'aurait renvoyé, poursuivit Crispin, remuant le couteau dans la plaie. Si Barclay décrétait que c'était de la camelote, personne ne mettrait en doute son jugement. En tout cas, il l'a retourné un jour après avoir écrit à Bruce, pour éviter qu'on ne le regarde de trop près. Au moment où il nous est parvenu, l'explication avait eu lieu, chacun ayant accepté le jugement du grand expert et ne demandant qu'à oublier cette affaire. Bruce n'a même pas ouvert le paquet et il a été assassiné cette même nuit. Après cela, qui allait jamais se souvenir d'une affaire aussi insignifiante que notre mauvaise plaisanterie ? Personne !

– Mais Barclay était à Athènes, objectai-je.

– On peut se rendre en voiture d'Athènes à Piri-thoön en quelques heures, et personne ne s'est jamais inquiété des faits et gestes du professeur Barclay. Pourquoi d'ailleurs ? Il pouvait aller où bon lui semblait. Il voulait que les fouilles soient arrêtées rapidement, avant que le tombeau ne puisse être ouvert. Naturellement, Bruce ne se serait pas laissé abattre par un échec, mais s'il disparaissait, il n'y aurait plus d'argent… Personne ne croyait d'ailleurs qu'on ferait des découvertes intéressantes sur ce site. Qui pouvait empêcher Barclay de prendre sa voiture et de s'approcher du chantier par la piste qui menait à l'autre côté de l'acropole ? Il lui suffisait de venir à la villa, de se faire recevoir par Bruce, seul à ce moment, de demander de lui faire voir la citadelle, puis, arrivé là, de lui planter un couteau dans le dos ou de l'abattre d'une balle. Il pouvait être rentré à Athènes bien avant le lever du jour.

Crispin devait avoir raison. Tout s'était déroulé comme prévu. Seulement, lorsque le meurtrier était revenu pour admirer son butin, il avait trouvé la tombe profanée et l'or disparu avec, près des dépouilles, une invitation à laquelle il s'était rendu.

Je me sentais à nouveau faiblir et sombrais dans un froid glacial. Crispin avait posé la main sur le bandage improvisé serré sur ma cuisse.

– Ça saigne à travers le pansement, dit-il avec consternation. Et je n'ai rien pour le remplacer.

Je me demandais si cela avait de l'importance. J'étais déjà si loin, et revenir à la conscience me coûtait tellement ; cependant, quelque chose me tracassait encore, quelque chose que je savais, quelque chose qui pouvait être fait si seulement je pouvais me rappeler ce que c'était. Le froid est fatal aux blessés ; à partir du moment où l'on ne peut bouger, une simple blessure peut vous rayer de la liste des vivants. Mais ce n'était pas le cas pour Crispin ; lui pouvait bouger, marcher ; si seulement il existait une autre issue… Il refuserait sans doute de me laisser cloué ici, mais je pourrais le convaincre d'aller chercher du secours, et peut-être n'avait-il pas assez d'expérience pour se rendre compte que ce secours arriverait probablement trop tard.

Mes pensées se heurtaient dans un couloir interminable et glacé ; deux yeux me fixaient au bout, des yeux hagards au-dessus d'une bouche qui me hurlait des supplications que je ne pouvais entendre. Crispin m'apparaissait très nettement, comme au travers d'une lorgnette que j'aurais tenue à l'envers, lointain et minuscule. Il me caressait les joues, le front et les mains. Il faisait glisser la fermeture de son blouson et l'ôtait, se débarrassait de son sweater…

Je levai les mains et lui pris les bras. Ce mouvement me détacha de mon lit de glace et me projeta hors de ce couloir obscur, me faisant reprendre conscience avec une lucidité aveuglante du tragique de notre situation. En le touchant, je mesurai toute sa faiblesse et compris ce qu'il me restait à faire. Je lui fis baisser les bras.

– Remets ça ! Tout de suite ! Fais ce que je te dis !

– Non, je me sens très bien ! Prenez le sweater, je peux m'en passer, je peux remuer, pas vous. Evelyn, vous devez… vous êtes glacé !

Je l'obligeai brusquement à remettre son sweater, comme si j'habillais un enfant obstiné. Nous avions déjà perdu trop de temps.

– Remets ton blouson, tu en auras besoin. Tu vas sortir d'ici, moi je ne peux pas, et tu vas m'obéir. Ce tunnel au fond de la galerie, celui dans lequel nous

nous étions engagés, qui était trop étroit pour moi… On sentait que de l'air frais y pénétrait. Prends le casque, il te sera utile. Essaie de sortir par là, mais ne prends aucun risque… tu m'entends ? S'il devient trop étroit pour toi, ou si tu arrives à une autre galerie sans trouver le moyen de sortir, restes-y et attends. Il ne traînera pas longtemps ici quand il saura qu'il n'y a rien d'intéressant à trouver. Il n'osera et ne pourra arriver jusqu'à toi. Si je ne suis pas parvenu à passer, il n'y réussira pas non plus. Ne reviens pas ici avant qu'il ne soit parti.

Je lui tendis le casque, mais il ne bougea pas.

– Qu'attends-tu ? Mets-le ! Allons !

– Je ne peux pas ! dit-il en tremblant. Je ne vais pas vous laisser seul ici.

Sa voix était basse et rapide, mais plus assurée que le restant de son être. Il était résolu à accepter l'inévitable, et je m'efforçais à le faire changer d'avis en lui faisant entrevoir une lueur d'espoir. Il était assez lucide pour ne pas y croire, mais je l'avais quand même ébranlé.

– Si tu ne me laisses pas, nous sommes perdus tous les deux. Tu peux bouger, moi pas, tu es assez petit pour passer, moi pas. Ma seule chance est de te voir sortir d'ici sain et sauf pour aller chercher du secours. Tu dois comprendre. Allez, dépêche-toi avant qu'il ne soit trop tard : il ne va pas tarder à revenir !

– Non ! dit-il. Je n'arriverai jamais à temps, vous le savez très bien. Il ne s'est pas pressé, mais vous avez raison, il ne va plus tarder maintenant. Même si je pars tout de suite, j'arriverai trop tard. Si vous ne pouvez pas vous en aller, je ne peux pas non plus. Comment y arriverais-je ? Il va revenir demander où se trouve l'or et ne sait pas que vous ignorez où il est caché. Si vous lui dites que vous n'en savez rien, il ne vous croira pas. Je ne peux pas vous abandonner.

— Je peux lui dire où il se trouve, m'obstinai-je, me soulevant sur un coude, sentant le tourniquet glisser et le sang chaud transpercer le tee-shirt déjà trempé de Crispin. Je peux lui citer une douzaine d'endroits sûrs, éloignés de cette caverne, l'envoyer à des kilomètres d'ici.

— Il ne vous croira pas ! Et même si c'est le cas, il ne vous laissera pas sortir avant d'avoir vérifié ce que vous lui avez dit. Vous ne pensez tout de même pas qu'il serait assez sot ! Evelyn, je vous en prie, vous allez encore aggraver votre blessure…

— Je peux tenir assez longtemps pour que tu puisses t'en aller, dis-je en le secouant, alors que chaque mouvement me faisait un mal affreux. Fais ce que je te dis ! Allez ! *Tout de suite !*

— Non !

Il essaya de m'entourer de ses bras pour m'obliger à rester tranquille, mais je le repoussai.

— Vous serez mort avant que je ne revienne si je vous laisse avec lui. Nous ne pouvons lui mentir ! Pas même gagner du temps ! Evelyn, non ! Ne me forcez pas !

— Vas-tu partir ?

Je mis la main sur le tourniquet qu'il avait si bien fait et le tordis, sentant battre ma blessure et couler le sang. Il poussa un faible cri, pitoyable et angoissé, et tenta d'écarter ma main.

— Si tu ne pars pas, je l'arrache. Tu m'as compris ?

— Non, je ne peux pas ! Vous ne devez pas ! Je vous en prie, mon Dieu ! Que dois-je faire ? dit-il en sanglots.

— Vas-tu te décider ?

Il hésitait encore, et je me sentis à nouveau sombrer lentement dans l'obscurité bienfaisante de l'évanouissement. Ce n'était pas le moment de discuter. Je me soulevai brusquement et le frappai assez maladroitement sur sa joue indemne. Il s'écarta vivement et, avec un sanglot, prit le casque.

– Très bien, je m'en vais ! Resserrez le garrot ! J'y vais ; je ferai tout ce que vous me demandez.

Il se pencha un instant sur moi, en proie à une profonde inquiétude, puis il se résigna et courut comme un fou vers le coin sombre où le tunnel débouchait. J'entendis le bruit de ses pas cesser brusquement, mais je ne pouvais dire si c'était parce qu'il avait couru très vite ou parce que j'avais perdu de nouveau connaissance. Comme il emportait avec lui le seul espoir qui me retenait au bord de l'inconscience, je me sentis plonger comme une pierre dans les eaux noires de l'oubli. Je m'étais débarrassé de lui juste à temps. Maintenant, je pouvais me laisser submerger et m'abandonner…

XVI

Je sentis un effleurement doux et humide comme celui d'une aile de papillon sur ma joue. Quelque chose de lourd reposait en travers de mon corps, et j'éprouvais une curieuse et agréable pression sur tout le côté gauche. Non pas rude et froide comme le roc, mais chaude, ferme et vivante. Je remuai un peu la main pour reconnaître ce qui reposait si doucement sur moi et mes doigts reconnurent la douceur moelleuse de la laine. Cette étrange impression de confort s'arrêtait à ma taille ; plus bas, quelque chose de lourd et de chaud m'entourait étroitement. Au contact de ma main et à ma grande surprise, cette source de chaleur se fit plus légère. Je dégageai lentement mon bras avec un mal infini, tâtai mon côté droit et rencontrai une main ; en remontant, je sentis un bras mince, recouvert d'une fine étoffe, puis une épaule courbée et protectrice reposant sur mon épaule gauche et ma poitrine. Encore plus haut, je touchai un menton doux, une joue froide, des cheveux courts et bouclés, une tête familière pressée dans le creux de mon cou.

Il n'était pas parti. Il n'était pas en sûreté de l'autre côté du rocher. Il reposait à côté de moi, soufflant son haleine sur ma gorge, me donnant la seule chose qu'il possédait encore pour me tenir en vie : sa chaleur.

– Crispin…

– Je n'ai pas pu passer, murmura-t-il, ce n'était pas assez large. J'ai eu peur d'aller plus loin. J'ai essayé comme vous me l'avez dit, Evelyn.

Il avait réfléchi à ce qu'il allait me dire au moment où je reviendrais à moi, mais il avait parlé trop rapidement, trop anxieusement. Il ne savait pas bien mentir, même quand il y mettait tout son cœur.

– Je vous fais mal ? Je suis trop lourd ?

– Non. Ton sweater… remets-le ! Pourquoi as-tu fait cette sottise ?

Il ne bougea pas, mais m'entoura, au contraire, plus étroitement.

– Comment vous sentez-vous à présent ? Un peu plus chaud ?

– Beaucoup plus chaud, dis-je en mentant moi aussi.

Malgré tous mes efforts, ma voix me paraissait venir de très, très loin. Il frissonnait tellement que seul notre contact étroit lui permettait de contrôler ses tremblements.

S'il y avait eu une centaine d'issues à la caverne, il n'en aurait pris aucune à moins de pouvoir m'emporter avec lui.

– Evelyn, murmura-t-il, au cas où nous ne sortirions pas d'ici indemnes… Pardonnez-moi ! Et merci de ce que vous avez fait !

– Merci pour quoi ? Pour nous avoir attirés dans ce guet-apens ?

– Simplement merci ! répéta-t-il avec obstination.

– Crispin… au cas où nous…

– Oui ?

Il trembla à cette suggestion, prêt à espérer même contre toute attente.

– Je te flanquerai une bonne raclée, espèce de tête de mule !

Un petit rire brusque souffla sur mon cou. Il resserra le bras qu'il étendait sur moi, ce que je pris tout d'abord pour un frisson ou une crampe, ne supposant pas qu'il pouvait m'offrir quelque chose d'aussi simple et d'aussi naturel qu'une étreinte. Sa joue trembla contre la mienne, et je sentis ses cils battre convulsivement, laissant couler sur mon visage des larmes brûlantes.

Au même instant, une lumière vacillante apparut parmi les rochers, juste au-dessus de nous ; Crispin se figea.

– Il est sur l'échelle. Il descend.

C'était le plus bel instant de ma vie, et ce devait être le dernier !

XVII

Crispin me repoussa doucement en arrière, se dégageant avec précaution de mes mains froides qui essayaient de le retenir, puis se leva et s'approcha de l'échelle de corde. Quand il fut arrivé à mi-chemin entre l'endroit où nous étions restés étroitement serrés et l'échelle, j'étais parvenu, au prix d'efforts inouïs, à me traîner à sa suite sur un mètre. Je vis ce qui suivit, dans une série de cauchemars, chacun plus long et plus horrible que le précédent, tandis que je rampais vers l'échelle. Entre ces cauchemars, je dus m'évanouir, ou tomber dans une sorte d'inconscience me permettant quand même d'enregistrer les événements. Quant à la douleur, j'en garde peu de souvenir. Ma jambe gauche se traînait comme un morceau de bois, sans aucune sensation, laissant des traces de sang sur la pierre humide.

Crispin s'avançait lentement, lissant en arrière ses cheveux en désordre et tapotant sa veste sale et mouillée comme s'il voulait rectifier sa tenue avant une entrevue de la plus haute importance. Je ne pus observer son visage, mais devinai sans peine l'expression familière qu'il devait composer.

Je vis la lumière que Barclay portait à la ceinture se déplacer de côté au pied de l'échelle, balayer la paroi rougeâtre de la grotte pour finalement se pointer sur nous comme une lance. Elle rencontra l'intense faisceau lumineux de notre lanterne pointé vers le haut et s'y noya. La silhouette qui s'avançait prit forme, grande, avec de longs bras, de longues jambes. Ses mouvements étaient amples et souples comme ceux d'un athlète. Je vis le front large et haut, comme taillé dans le roc, les yeux qu'on aurait dits incrustés de nacre et de lapis-lazuli, comme ceux des statues de scribes égyptiens ; un bel homme, autoritaire, à la voix sèche et doctorale, aux manières résolues, tenant un pistolet braqué sur nous.

Rien, dans son expression, ne trahissait la vexation d'avoir été berné ; il s'y était attendu sans doute et ne paraissait pas attacher d'importance au fait d'avoir perdu son temps à suivre une fausse piste. C'était un savant trop accompli pour se laisser distraire par des émotions du but qu'il s'était assigné.

– Où est l'or ? demanda-t-il du même ton impersonnel qu'il avait employé précédemment.

Et il releva son arme de quelques degrés, la pointant dangereusement sur la poitrine de Crispin.

– Vous perdez votre temps à le lui demander, dis-je en m'appuyant sur un coude. Il me l'a confié et il ignore où je l'ai caché.

Ma voix me parut forte, plus forte que la leur, mais ils n'eurent pas l'air de m'avoir entendu. Ils se tenaient tout près l'un de l'autre et s'observaient trop étroitement pour faire attention à moi. Crispin se dressait très droit, tendu de haine concentrée ; la peur l'avait quitté. Il n'y avait plus de place en lui à présent pour un tel sentiment : il se trouvait face à face avec l'homme qui avait tué Bruce. Comme un chien flairant une piste toute chaude, il était prêt à traverser la route sans prendre garde à la voiture qui fonçait sur lui.

– Comment avez-vous tué mon père ? demanda Crispin de la voix décidée d'une personne procédant à un interrogatoire en règle. Était-il encore seul dans son bureau, cette nuit-là, quand vous êtes arrivé au chantier ?

Le pistolet se leva doucement dans la main pâle et soignée, fixant son canon menaçant sur le garçon. Il ne parut même pas le voir.

– Où est l'or ?

La question, cette fois, se fit menaçante. Lorsque le professeur Barclay faisait passer des examens, cette voix devait faire battre le cœur des étudiants mal préparés.

– Vous perdez votre temps, répétai-je. Je suis seul à le savoir. Laissez-le partir, et je vous le dirai.

– Êtes-vous allé le voir en prétendant que votre jugement sur le masque avait été trop hâtif ? poursuivit Crispin. Avez-vous suggéré de jeter un coup d'œil au lieu de sa découverte ? Est-ce ainsi que vous avez pu sortir seul avec lui et trouver un endroit favorable pour l'abattre lâchement ? Je suppose que vous avez trouvé plus commode de tirer dans le dos la première fois. Il semble que vous ayez plus de courage maintenant.

Le pistolet ne bougea pas, mais la main gauche de Barclay surgit de l'ombre pour frapper le garçon au visage, une fois, puis deux, puis encore. Crispin restait impassible, accusant les coups sans broncher, redressant instantanément la tête, prêt à reprendre son réquisitoire.

– *Où est l'or ?*

– Vous ne tirerez rien de lui de cette manière, dis-je, la voix cassée, repris de nausées et fou de rage et d'impuissance, au point de me casser les ongles sur le rocher humide et glissant. Même s'il le savait, il ne vous le dirait pas. Mais il l'ignore. Laissez-le rentrer chez lui, et je vous dirai où le trouver, votre maudit or.

– Le laisser rentrer chez lui !

Barclay répéta ces mots avec un mince sourire, sans quitter des yeux une seconde le visage de l'enfant.

– Pour qu'il avertisse la police ?

– Ne dites pas de sottises ! Comment pourrait-il aller à la police ? Il a volé ces objets, et vous le savez bien. Un mot à la police, et il serait dans d'aussi beaux draps que vous.

– Je ne crois pas, dirent pensivement les lèvres fines, que cela l'en empêcherait s'il pouvait vous sauver. Je suis certain que ça lui serait bien égal si, du même coup, il pouvait entraîner ma perte.

Crispin aspira profondément et reprit son interrogatoire du même ton détaché, comme s'il n'avait rien entendu ni ressenti depuis qu'il s'était tu.

– Est-ce la fortune ou la gloire que vous recherchez, professeur Barclay ? L'argent est une chose bien agréable, mais vous devriez en jouir en secret, n'est-ce pas ? Il est difficile de vendre des objets d'une telle valeur, et vous vous seriez privé du plaisir du connaisseur en vous en séparant. En tout cas, la découverte vous rapporterait énormément d'argent rien qu'en articles dans les journaux, n'est-ce pas ? Sans compter que vous pourriez écrire des livres expliquant ce qui vous avait amené à la découverte du tombeau mis au jour par mon père. La tombe de mon père ! Vous vous êtes arrangé pour qu'il en soit ainsi, n'est-ce pas ?

Avec une froide détermination, précise et féroce, Barclay assena à l'enfant un coup de poing en pleine figure. Je perçus le craquement de ses jointures sur la joue et la mâchoire de Crispin. Je ne sais comment je fis, mais je parvins à m'approcher encore d'un mètre de notre ennemi ; toute la vie qui restait en moi me poussait en avant, encore plus près, m'accrochant désespérément au sol, tirant derrière moi ma jambe inerte du mieux que je pouvais.

Tout d'abord, je me sentis m'enfoncer dans un brouillard rouge, puis dans un trou noir, et lorsque ma vue s'éclaircit à nouveau et que j'eus avalé la bile qui remplissait ma bouche à m'étouffer, Crispin revenait péniblement à lui. Il s'appuya quelques minutes sur un bras, la tête ballante, la main pressée sur son visage. Il ne poussa pas un seul gémissement et contint sa douleur et son hébétement jusqu'à ce qu'il fût de nouveau capable de les surpasser et de reprendre la lutte. Le coup l'avait projeté à quelques pas en arrière de la position qu'il occupait entre Barclay et moi. Le professeur s'était tourné pour faire face au garçon. Je le voyais de profil à présent. En tout cas, il me considérait comme quantité négligeable. Crispin secoua lentement la tête d'avant en arrière, et sous ses cheveux emmêlés ses yeux me jetèrent un regard ardent et significatif. Enfin il s'agenouilla, puis se releva.

Je crus qu'il allait de nouveau s'effondrer. Il paraissait trop étourdi pour pouvoir s'orienter, car pourquoi aurait-il montré le dos à son ennemi et aurait-il fait quelques pas dans la mauvaise direction ? Barclay observait ses gestes avec attention, pivotant encore un peu plus sur ses talons. Il me tournait le dos à présent.

J'étais sous l'empire d'une telle rage, mais si faible aussi, qu'il me fallut une bonne minute pour comprendre ce que Crispin manigançait. Quelques mètres seulement me séparaient des longues jambes et des pieds élégamment chaussés qui étaient tout ce que je pouvais clairement distinguer du meurtrier de Bruce. Crispin ne cesserait jamais la lutte, même à moitié évanoui.

Je rassemblai le peu de forces qui me restait et m'approchai encore ; le sol se dérobait, s'incurvait et déferlait sur moi en vagues continues. Dans un moment de semi-conscience, j'entendis la voix assourdie et distante demander avec une insistance menaçante :

– Où est l'or ? Je vous conseille de me répondre sur-le-champ.

– Si ça dure encore longtemps, haleta Crispin de derrière ses mains qu'il passait sur son visage endolori, je ne pourrai plus vous répondre. Et ça vous mènera où ?

J'étendis la main droite, et mes doigts balayèrent désespérément le sol à quinze centimètres du talon droit de Barclay. Si je parvenais à le faire tomber, même si le coup partait, il y avait des chances pour que la balle passe loin du but. Je m'étendis sur le ventre et gagnai encore quelques centimètres ; à ce moment, Crispin, craignant je crois de ne plus pouvoir attirer vers lui seul l'attention de son ennemi, baissa les mains et fit délibérément un pas en avant.

C'était la chose la plus brave et la plus téméraire que j'aie jamais vue, et Dieu sait si elle méritait de réussir ; de fait, Barclay, surpris, fit un pas en arrière, le pistolet dans la main, mais, au lieu de reculer directement pour garder sa distance, il sauta de côté, se rappelant à l'instant ma présence. Mes doigts effleurèrent le bas de son pantalon, mais je ne réussis pas à

le saisir et, avant que je puisse m'avancer de nouveau, il avait levé le pied et laissé retomber celui-ci
de toutes ses forces sur ma main, tournant le talon
afin de m'écraser plus sûrement les doigts sur le roc.
Une douleur atroce me parcourut le bras et explosa
dans ma tête comme une détonation ; Crispin poussa
un cri horrifié comme si, pour la première fois, il
éprouvait de la douleur.

C'était suffisant pour le trahir. Barclay souleva son
pied de ma main cassée et se recula prudemment d'un
ou deux pas pour nous surveiller tous les deux, puis
c'est sur moi que le canon court du pistolet se braqua.

– Nous n'avons plus de temps à perdre. Je vous
donne une minute pour me dire ce que vous avez fait
de l'or, sinon il ne lui reste que peu de temps à vivre.
Si vous mentez, ça ne le sauvera pas non plus. Personne, à part moi, ne sait que vous êtes ici, et vous y
resterez tous les deux jusqu'à ce que j'aie l'or en
main. Le temps presse pour votre ami. Regardez-le !

Crispin me regardait en tremblant.

– S'il reste deux heures de plus dans cette grotte, il
mourra, dit Barclay en me considérant d'un regard
froid et cynique. Ça dépend de vous. Condamnez-le
immédiatement si vous estimez que l'enjeu est tellement important, ou lentement si vous croyez pouvoir
me berner. Ou bien donnez-moi l'or et sauvez la vie
de cet homme en échange. Compris ? La minute a
commencé !

Crispin inspira profondément, ferma les yeux un
moment pour rassembler son courage et faire fi des
vœux qu'il avait formés à la mémoire de Bruce et
qu'il ne pouvait plus tenir ; puis il les rouvrit et se
tourna vers moi, un pauvre petit sourire sur les lèvres.
Il n'hésita pas et ne mentit pas à son ennemi.

– L'or est là-bas, dit-il, à moins de dix pas d'où se trouvait la serviette. Je n'ai pas la clé sur moi, mais je vous donne ma parole que cette fois-ci, c'est bien ce que vous cherchez.

– Apportez-le-moi.

Crispin alla vers le bord du gouffre et disparut de ma vue. Je ne pouvais rester plus longtemps soulevé sur un bras pour le regarder ; ma main meurtrie n'avait plus de force et me fit l'impression d'être transpercée de couteaux et d'aiguilles dès que je la ramenai le long de mon corps : de petits os devaient certainement être brisés. La raclée que j'avais reçue, voilà tout ce que m'avait rapporté l'idée merveilleuse de Dorothy, mais ce n'était rien en comparaison des souffrances que Crispin devait endurer en ce moment même. Je ne pouvais rien faire pour lui porter secours. Même si ma vie n'avait pas été en jeu, Crispin aurait été torturé jusqu'à ce qu'il abandonne. Mon sacrifice ne servirait à rien.

Il revint lentement ; son ombre me dépassa d'abord, puis lui-même. Ses grands yeux se tournaient anxieusement vers moi. Il tenait un grand coffre noir en acier dans les bras.

– Il était dans une anfractuosité de la roche, juste au-dessous du bord du gouffre, me dit-il. Je l'ai emporté ici jeudi dernier, avant que Dermot arrive.

Son regard se détacha de moi, et il s'adressa à Barclay :

– Voulez-vous que je vous l'apporte ou que je le dépose sur le sol ?

– Par terre, ici.

Il recula de quelques pas vers l'échelle, ne voulant prendre aucun risque, même avec un gamin battu et éreinté et un homme à moitié mort.

– Maintenant, retournez près de votre ami.

Le mot résonnait étrangement dans sa bouche. Je me demandais s'il en avait jamais eu un seul : rien que des collègues et des étudiants, sans doute.

Le coup de feu me fit sursauter et frémir ; je ne m'y attendais pas et je tendis ma main valide en direction de Crispin, pensant avec terreur qu'il avait été abattu à bout portant. Mais il me prit la main entre les siennes pour me rassurer et se laissa tomber sur les genoux à mes côtés.

– Du calme, dit-il avec un rire jaune, ce n'est que le cadenas qu'il fait sauter ! Je ne m'attendais pas à ce qu'il me croie sur parole.

Je me tourmentais à l'idée que nous ne pouvions nous fier à la sienne. Il nous avait implicitement promis de nous laisser la vie sauve, mais je doutais qu'il tienne parole : pas avec tout ce que nous savions, pas maintenant qu'il détenait l'or et nous laissait complètement démunis, incapables d'appeler la police pour nous venger. J'appréhendais le moment où Crispin comprendrait l'affreuse vérité, lorsque l'échelle serait hissée, nous laissant enterrés vivants, ou quand son arme ferait feu deux fois, pour s'assurer définitivement de notre silence. Les indices constitués par nos corps n'arriveraient certainement pas à aiguiller les soupçons vers cette personnalité de haute renommée, à peine connue de nous deux et dont les rapports avec Crispin étaient ténus au point d'être pratiquement inexistants.

– Il n'y a pas de silencieux sur celui-ci, dit Crispin, les lèvres retroussées par la haine. À moins que vous n'ayez tué Bruce d'un coup de couteau.

Pas de réponse. Pourquoi l'écouterait-il ? Il n'avait plus besoin de le frapper pour lui faire comprendre que l'insolence ne payait pas… Il allait d'ailleurs lui donner cette leçon, une fois pour toutes.

Je perçus une exclamation étouffée de satisfaction, gage de l'admiration que lui causait la vue du trésor de Pirithoön et preuve de l'importance extrême qu'il représentait aux yeux de celui qui avait tué pour l'obtenir. J'entendis le bruit du couvercle se refermer. Barclay avait ce qu'il était venu chercher. Qu'allait-il faire ? Nous tuer et nous jeter dans la rivière souterraine ? Ou simplement retirer l'échelle et nous laisser là ? Non, pas cela, il ne prendrait aucun risque, car il y avait toujours le danger que nous soyons découverts par un spéléologue, et il ignorait que la grotte était rarement visitée. Il valait mieux pour lui que nous n'en sortions pas vivants, et que, même morts, nos corps disparaissent à tout jamais. Il nous tuerait, puis jetterait nos cadavres dans le gouffre. Les dépouilles réapparaîtraient peut-être un jour ou l'autre, mais, dans l'immédiat, cette solution offrait les meilleures garanties.

Pourtant, j'avais tort, et c'est avec incrédulité que je l'entendis de nouveau nous interpeller.

– Vous devez comprendre que je pourrais fort bien disposer de vos vies sans courir aucun risque. Au lieu de cela, si nous faisions un marché ? Je vous laisse seuls ici avec les moyens de vous en sortir si vous me donnez votre parole d'honneur de ne pas tenter de me filer pendant les dix minutes qui suivront mon départ et de ne pas prévenir la police. Si vous voulez votre revanche, essayez seuls. Après dix minutes, vous pourrez sortir et chercher du secours pour votre ami… si vous vous conformez à mes termes. Si vous préférez le voir mourir faute de soins, c'est votre affaire.

Je n'arrivais toujours pas à le croire. Il avait douté de la parole de Crispin quand il avait été question du trésor ; il était bien étrange qu'il soit prêt à l'accepter maintenant. Je me demandais même s'il croyait jamais à la parole de quelqu'un. Je tentai de retenir Crispin près de moi, mais il était déjà debout, surpris et transporté d'un fol espoir, regardant son ennemi, et les mots lui jaillirent des lèvres.

– Très bien, je promets !

Après tout, à quoi cela aurait-il servi de parler ? Nous n'étions pas en mesure de contrecarrer les intentions de Barclay, mais, comme il ne pouvait raisonnablement penser ce qu'il disait, pourquoi nous avait-il proposé ce marché ? Avec prudence, il marcha à reculons vers l'échelle, le coffret sous le bras. Il nous livrait toujours un visage pâle et impassible, gardant le pistolet pointé sur nous, tandis qu'il attachait le coffret à sa ceinture au moyen d'une corde et liait le dernier échelon de l'échelle à la même corde. Crispin examinait tous ses mouvements, mais n'en comprit pas toute la signification.

– Je croyais que vous aviez foi en ma parole ! dit-il avec mépris. Vous aurez vos dix minutes, ne vous en faites pas !

Un sourire gris, sans joie, se dessina sur la bouche indifférente.

– Mais la tentation pourrait être trop grande pour vous, dit-il ; je vous ai trouvé fort impétueux, mon garçon.

Crispin ne comprenait toujours pas, mais à quoi bon lui expliquer ?... Barclay avait peur ! Il n'était pas effrayé au point de tourner les talons une fois lancé sur cette pente dangereuse, mais assez tout de même pour se sentir menacé à chacun des pas qu'il faisait, craignant de donner à un garçon éreinté et à un homme à demi mort la moindre occasion de surprendre sa vigilance. Le pistolet seul pouvait le rassurer aussi longtemps que Crispin garderait quelque espoir de le retenir par un acte d'héroïsme désespéré. Si Crispin savait que, dans tous les cas, il allait mourir, il se lancerait sur son ennemi comme une flèche, et qui sait si un hasard ne ferait pas pencher la balance en sa faveur ? Comme Barclay l'avait dit, c'était un jeune homme très impétueux…

Non, cet homme prudent ne prendrait pas le moindre risque, encore moins avec quelqu'un qui le haïssait autant que Crispin. Avant que le garçon ne réalise que nous étions tous deux condamnés à mort, Barclay serait hors de portée. Non pas, pensai-je, me creusant désespérément la cervelle, au sommet de l'oubliette, car à cette distance son arme n'était pas assez précise pour couvrir toute la galerie, mais à un point sur l'échelle, au-dessus de l'endroit où elle était fixée, là où la paroi rocheuse s'incurvait de nouveau. Il aurait une vue d'ensemble de la salle et serait hors d'atteinte, voilà l'endroit qu'il avait choisi. Évidemment, l'échelle pourrait balancer légèrement et rendre son tir difficile, mais on voyait qu'il était habitué aux armes et était, sans doute, un bon tireur ; dans tous les cas, il lui restait au moins quatre balles dans le chargeur à partager entre nous ; il ne lui en faudrait pas plus d'une pour la cible immobile que je représentais. Quant à nous mentir entre-temps pour tenir Crispin tranquille et faire un marché de dupes, c'était un réflexe purement pratique de sa part. Il pourrait ensuite redescendre simplement et nous jeter dans la rivière.

Je m'étonnais qu'il ait pu s'aventurer si près de Crispin au point de le frapper, même avec le pistolet dans son autre main. Mais il avait appris des tas de choses sur Crispin depuis lors ; surtout ce pas en avant, délibéré et provocant qui avait presque fait tomber Barclay dans la main que je tendais. Non, il n'allait pas risquer d'avoir à combattre un Crispin désespéré et toujours à sa portée.

— Crispin, dis-je d'un ton pressant, viens ici !

Le pied de Barclay était sur l'échelle ; il commença à grimper.

Crispin s'approcha de moi, la tête tournée. Ses yeux suivaient les minces échelons métalliques, comme l'échelle quittait le sol et se roulait vers le haut. Je tendis la main et lui attrapai la manche, le forçant à s'agenouiller à côté de moi.

— Fais une seule fois ce que je te dis ! Sans discuter ! Prends ce tunnel et sors d'ici. *Tout de suite ! Cours !*

Il me regarda sans bouger avec ses grands yeux brouillés de fatigue. Barclay était déjà à quatre mètres du sol et progressait régulièrement.

— Pourquoi ? Il déroulera l'échelle une fois qu'il sera arrivé là-haut…

À peine avait-il dit ces mots qu'il se rendit compte que l'autre n'en ferait rien. Je vis ses joues blêmir sous les écorchures et la saleté. Ses lèvres s'entrouvrirent de stupeur.

— Qu'importe le pourquoi, *vas-y* !

Il ne bougea pas et fixa la paroi à pic qui l'avait soudain coupé de tout avenir. La proximité de la mort lui fit apparaître clairement les mobiles de son adversaire. Je lui saisis la manche de ma seule main valide, le secouant faiblement, l'implorant de m'obéir, de ne pas gâcher sa vie, de ne pas me tuer deux fois. Il posa sa main sur la mienne, me regarda un court instant avec un sourire amer et farouche, puis hocha la tête. Il se mit ensuite à rire, non pas de façon hystérique, non pas par bravade, mais avec un sursaut irrésistible de mépris.

— C'est donc pour ça… oh, *non* ! Il a *peur* !

– Crispin ! le suppliai-je, grondant devant mon impuissance.

Barclay avait atteint son point stratégique et se tournait très calmement pour s'accrocher fermement du bras gauche à l'échelle et libérer le droit en vue de notre exécution. Il avait tout le temps ; rien ne le pressait. Il assura la lampe à sa ceinture pour qu'elle nous éclaire convenablement.

– Il a la *frousse* ! s'écria Crispin, pivotant sur ses genoux pour faire face à l'échelle, se plaçant entre le pistolet et moi.

Si j'étais une cible immobile, lui en serait une aussi. Si je ne pouvais m'enfuir et m'esquiver pour sortir du faisceau lumineux de la lampe, lui non plus. Il me serra contre lui avec son bras, exultant à la réalisation de son triomphe et à l'humiliation de son ennemi.

– Bien sûr ! Seul quelqu'un d'aussi lâche et d'aussi retors que lui pouvait avoir tiré dans le dos de mon père ! Eh bien ! cette fois, il devra le faire de face… Si vous en avez le courage, *professeur Barclay* ! Avez-vous le cran de tirer ? *Même de là !*

La lumière, réfléchie vers le haut par la surface lisse et humide du roc, faisait luire les yeux impénétrables. Barclay leva la main et pointa lentement le pistolet dans la direction de Crispin.

XVIII

Certains cauchemars me font revivre le moment de clarté étrange au cours duquel la distance et l'obscurité parurent me fuir, et je revois cette lente et méthodique pression du doigt de Barclay sur la détente, avec autant de précision que si sa main crispée s'était trouvée à un mètre de mes yeux. Rien ne pouvait être tenté, nous n'avions plus d'arguments, nous ne pouvions plus le tromper, rien… et cependant, tant qu'il y avait un petit espoir de vie, je ne pouvais abandonner. Je trouvai, je ne sais comment, la force de crier et de tendre la main vers le haut, vers l'étranglement de la cheminée d'accès, au-dessus de la tête de Barclay.

– Regarde ! Des lumières ! Il y a quelqu'un là-haut !

Crispin retint sa respiration et tourna la tête vers l'endroit que je désignais. Pendant un instant qui me parut interminable, Barclay lui-même fut tenté de regarder. On pouvait facilement l'effrayer, mais on ne se jouait pas si aisément de lui. Il hésita une fraction de seconde, un tremblement léger… puis son doigt continua à presser fermement la détente. Au même instant, un rayon lumineux, à peine perceptible, brilla soudain près du plafond de la salle. Le mensonge s'était mué en réalité au moment même où Barclay avait décidé de ne pas y croire.

D'un mouvement du bras, je poussai Crispin et me roulai au-dessus de lui au moment où le coup partit. Au même instant, j'aperçus que quelque chose était lancé de la crevasse en haut, pareil à un oiseau plongeant sur sa proie, tournoyant dans l'air et jetant de sombres éclats jaunâtres dans les rayons des lampes. Il atteignit le bras de Barclay et rebondit, pour s'abattre finalement sur le sol de la grotte.

La balle frappa la pierre polie à moins d'un mètre de ma tête et siffla en une série de ricochets stridents tout au long de la salle. Je gisais, haletant et gémissant, sur le corps de Crispin qui se débattait, ma main blessée pliée sous nos poids combinés ; je ne pouvais me lever ou me tourner pour faire cesser l'atroce douleur. Mais nous étions tous deux vivants, et c'était un triomphe si inattendu que je pouvais à peine y croire.

Crispin se tortilla sous moi et m'aida à me relever en me passant un bras sous les épaules. Haletant d'espoir, il tournait les yeux vers le plafond de la grotte. Barclay s'accrochait aux échelons, le pistolet toujours à la main. Il ne s'intéressait plus à nous. Il regardait vers le haut d'un œil hagard, le bras gauche entourant fermement l'échelle et dirigeant sa lampe vers le trou noir qui le surplombait.

– Evelyn, vous avez vu ? Evelyn, il y a quelqu'un là-haut !

Le bras du garçon se contracta autour de moi, et sa voix s'éleva en un cri frénétique, lorsqu'une tête et des épaules apparurent au sommet de l'échelle dans le pinceau de lumière.

– Stavros, faites attention ! Il a encore son pistolet !

Barclay tira. Le bruit du coup de feu fut renvoyé en écho par le plafond. La tête disparut subitement, l'échelle grinça et se tendit brusquement, comme animée d'une vie propre. Les crampons devaient avoir bougé, à moins que ce ne soit notre sauveur providentiel qui ait tenté de les arracher. Barclay agrippa frénétiquement les échelons et se mit à grimper, le grand coffret noir se balançant de façon grotesque derrière lui, entravant ses mouvements et compromettant son équilibre. Comme une araignée le long de son fil, il se hâtait vers le sommet, prêt à un nouveau tir.

Le rayon de la lampe balaya l'obscurité, faisant ressortir l'éclat d'un visage bondissant du passage supérieur, puis disparaissant dans l'ombre profonde, un visage mince et musclé, avec un nez en bec d'aigle, regardant vers nous du haut de la galerie. Moins de trois mètres le séparaient de Barclay quand celui-ci se figea pour viser une nouvelle fois.

Au lieu de s'écarter du bord, l'étranger se baissa et saisit les crampons de l'échelle. Je ne vis que sa tête noire, la courbe de ses épaules bandées par l'effort. Crispin poussa un cri étouffé d'anxiété et de peur ; sous la traction irrésistible de l'homme, le dessus de l'échelle s'arracha de son support dans le rocher, et Barclay, pistolet, crampons, lampe et trésor réunis dégringolèrent avec fracas presque aux pieds de Crispin.

Le pistolet tomba en tournoyant et glissa sur le sol boueux. Crispin bondit dessus comme un léopard, puis revint à mes côtés en un éclair, le canon pointé sur son ennemi, attendant qu'il se relève.

Mais Barclay restait sans mouvement, couché sur le dos, là où il était tombé, affreusement courbé sur le coffret d'acier ; un mince filet de sang coulait de sa tête sur le sol incliné. Les yeux mi-clos, dans une quasi-inconscience, il laissa échapper un murmure indistinct, des gémissements convulsifs. Son corps se tordit ensuite durant quelques minutes en de longues convulsions qui le raidirent totalement.

Crispin écarquilla les yeux vers le haut, pris d'un doute affreux sur le visage qu'il voyait se pencher par-delà l'obscurité dans la lumière ascendante, étroite et vivante comme une flamme. Sa main serra fortement le pistolet.

– Stavros ? cria-t-il d'une voix tremblante.

– Baissez ça ! (L'écho de la grotte renvoya trois fois le son de la voix.) Pointez-le sur l'autre. J'arrive !

– Stavros, attendez : téléphonez d'abord à la police et demandez une ambulance ! Evelyn est gravement blessé, et je crois que *lui* l'est aussi. Il ne bouge pas, je pense qu'il s'est évanoui.

– Tant mieux ! cria la voix furieuse. Ne le touchez pas et ne vous approchez pas de lui ! Ne lâchez pas le pistolet avant que j'arrive. Ça ne vous fait rien de rester avec lui ?

– Non, je n'ai pas peur. Dépêchez-vous, j'ai peur pour Evelyn. Quand vous reviendrez, vous trouverez des cordes et d'autres choses dans le coffre, près de l'entrée.

– S'il reprend suffisamment connaissance pour vous faire des ennuis, tuez-le, ordonna Stavros assez froidement. Vous m'avez compris ?

– Oui, Stavros.

Toute la tension et l'anxiété quittèrent Crispin, et ses genoux se dérobèrent sous lui. Il se laissa tomber sur le rocher, à côté de moi, me prit par l'épaule et me toucha la main.

– Tout va bien, Evelyn, me dit-il en tremblant. Tout est fini maintenant ! C'est Stavros Diakos… vous savez ? Vous vous rappelez ? Il va nous aider. Il va vous sortir d'ici…

Il resta à mes côtés, laissant une main dans la mienne, tenant de l'autre le pistolet, jusqu'à ce que cessent les convulsions qui agitaient le corps de l'assassin de son père. Crispin garda le silence ; je crois qu'il était à bout de forces et que la réaction avait été trop forte pour lui laisser l'énergie de parler. Il demeura près de moi et, de temps en temps, il serrait très doucement les doigts de ma main valide, comme pour m'exhorter à rester en vie. À vrai dire, du quart d'heure qui suivit, ces sensations sont les seules que je me rappelle.

Après, il y eut deux voix, et je compris que Stavros nous avait rejoints. Des lumières circulaient ; quelqu'un desserra un peu le tourniquet, et je sentis avec reconnaissance une douleur cuisante me parcourir de nouveau les muscles engourdis. En quelques minutes, je repris complètement conscience. Je vis un homme gigantesque, aux longues jambes, aux hanches étroites, me dominer comme un saint du Greco ; sa tête me paraissait presque toucher le plafond, et il penchait sur moi un visage olivâtre et rude. Il tenait à la main un objet qui réfléchissait la lumière avec un éclat doré : des ailes incurvées autour d'une fine pièce centrale en forme de triangle. Je compris que j'avais sous les yeux l'un des bandeaux funéraires en or de Pirithoön et que c'était ce qui avait jailli de l'obscurité de la salle du dessus pour s'abattre en tourbillonnant sur le bras de Barclay, faisant dévier le coup qu'il nous destinait.

– Où l'avez-vous trouvé ? demandait Crispin en regardant l'objet brillant avec des yeux immenses, remplis de souvenirs.

– Dans ses bagages, à l'hôtel, dit Stavros. Je ne crois pas que ça suffise à le confondre. Mais ça n'a plus d'importance : il s'est brisé la colonne vertébrale en tombant sur le coffret en acier : le trésor de Pirithoön l'a tué.

– Il n'est pas mort, murmura Crispin. Je viens de le voir bouger, il y a à peine une minute. Il n'est pas mort !

– Il n'en a plus pour longtemps à vivre, dit Stavros d'un ton convaincu ; on ne peut plus lui être d'aucun secours.

Il s'approcha brusquement de Barclay et déposa le bandeau en or sur son visage convulsé et souillé.

– Il a tué pour l'avoir et c'est en fin de compte ce masque qui a causé sa perte. Qu'il le porte maintenant… il était destiné aux défunts.

Après cela, je sombrai de nouveau dans le noir et je n'ai plus aucun souvenir de ce qui s'est passé par la suite. On m'a dit que j'avais repris connaissance deux ou trois fois pendant qu'on installait un palan et qu'on me hissait hors de la grotte, roulé dans des couvertures et attaché à la civière comme un cocon. On devait m'expliquer aussi que la police avait été appelée et qu'elle était sur les lieux à ce moment, ainsi qu'une équipe spéciale de sauvetage et des experts. L'opération fut conduite avec une célérité et une efficacité remarquables. Crispin dit que j'ai juré comme un païen pendant les quelques secondes où j'ai repris connaissance ; mais j'imagine que c'est une calomnie. En tout cas, ils me retirèrent de là et me conduisirent à l'hôpital assez rapidement pour me sauver la vie ainsi que ma jambe. Je crois que Crispin resta à côté de moi dans l'ambulance, mais cette partie de l'histoire est restée fort brumeuse dans mon esprit.

Barclay n'était pas avec nous. Il était mort avant que les secours arrivent jusqu'à lui, étendu en croix sur son trésor, le masque d'or sur le visage. Son crâne était fracturé, mais, de l'avis de tous, la blessure à la colonne vertébrale avait été la vraie cause de sa mort. Stavros avait raison : l'or de Pirithoön l'avait tué.

XIX

On autorisa Dorothy à me rendre visite le troisième jour, cinq minutes seulement. Elle avait insisté pour qu'on m'installe dans une chambre privée et l'avait généreusement fleurie, mais excepté la police, je n'avais jusqu'ici pu voir personne. Elle déposa les fruits et les cigarettes qu'elle m'avait apportés et s'installa à mon chevet.

– Crispin m'a tout raconté, me dit-elle en serrant ma main. Oh, Evelyn ! Comment pourrai-je jamais te remercier ?

« Tout raconté » ? J'en doutais.

– Comment va Crispin ? demandai-je.

– Quelques égratignures, mais rien de grave. Au début, il n'a pas semblé réagir, mais le lendemain il est tombé malade. Oh, Evelyn ! Je me demande si moi-même j'ai vraiment accusé le coup. La police m'a tirée du lit à six heures du matin pour me dire qu'ils vous avaient retrouvés dans la caverne avec un homme mort ! J'ai d'abord cru que c'était une horrible méprise. J'étais persuadée que vous dormiez tous les deux tranquillement dans votre chambre.

Ce souvenir suffit à la faire frissonner, et je sentis ses mains trembler sur les miennes.

– Heureusement que Dermot était là pour te soutenir ! dis-je.

– Un vrai roc ! Si tu savais le mal qu'il a eu à me faire comprendre ce qu'ils essayaient de me dire ! J'ai l'impression d'avoir habité sur un volcan pendant des mois et de ne m'en être rendu compte qu'au moment de l'éruption. Quel homme affreux ! Je n'arrive pas à le croire. Même pour tout cet or… même pour la gloire. (Elle ferma les yeux un instant et je sus qu'elle tentait de se représenter le drame qui s'était déroulé sur la colline de l'Argolide, comme je l'avais fait moi-même.) Il est mort, te l'ont-ils dit ? Il n'y aura pas de procès. Ils ont ouvert une procédure ce matin, mais seulement à des fins d'identification.

– Eh bien, je suis soulagé de ne pas avoir à régler ce cas. Ce doit être un « homicide involontaire lors d'une tentative de vol », ou quelque chose comme ça ? Heureusement qu'ils ont deux témoins pour recouper les faits. Et le trésor, qu'est-il devenu ?

– Il n'y aura pas de scandale, Dieu merci ! Dermot est en train de tout arranger. Il a appelé l'ambassade de Grèce et s'est rendu à Londres en personne pour leur expliquer toute l'affaire. Les autorités ne vont retenir aucune charge ; ils sont bien trop ravis de cette aubaine ! Crispin s'en sort blanc comme neige… Mais, Evelyn, pourquoi ne m'a-t-il rien dit ? Pourquoi ne m'a-t-il pas demandé de l'aider ? J'aurais fait n'importe quoi pour lui !

– Crispin n'aurait pas partagé ses responsabilités avec une femme, dis-je sans grande sincérité.

L'infirmière apparut alors à la porte et nous fit comprendre d'un regard que l'entrevue était terminée.

Dorothy serra ma main valide avec force et dit que nous reparlerions de tout cela « à la maison ». La manière dont elle prononça ces derniers mots me fit du bien. Mais mon travail aux Lawns était fini à présent : on avait identifié l'assassin de Bruce et il était décédé ; ses découvertes étaient désormais en lieu sûr, et son fils hors de danger.

Crispin me rendit visite le lendemain. Maintenant que sa vengeance avait été arrachée de ses mains et résolue de façon si dramatique, il paraissait exténué et perdu, comme s'il ne savait plus que faire de son existence ni de sa vitalité. Son visage était toujours enflé et éraflé. Le repos ne l'avait pas encore retapé, car ses yeux étaient creux et cernés.

– Stavros est avec moi, dit-il. Mais ils ne laissent entrer qu'une personne à la fois et pour quelques minutes seulement. Avez-vous encore très mal ? Ma mère vous fera conduire à la maison aussitôt que les médecins vous autoriseront à sortir. Evelyn, promettez-moi d'aller mieux.

Je le rassurai sur ma constitution de cheval, les pintes de bon sang qu'on m'avait si obligeamment transfusées et ma ferme intention d'être sur pied dès la semaine suivante.

– Moi aussi, pendant deux jours, ils m'ont forcé à rester au lit. Dans mon cas, c'était inutile, mais j'ai dû obéir. J'avais créé assez d'ennuis comme ça à tout le monde ! Après les explications que leur a fournies Stavros, les policiers se sont même montrés presque polis. Mais quand il a appris ce que j'avais fait, il m'a passé un sacré savon ! Il m'a dit que si j'avais été capable de me glisser dehors en pleine nuit pour piller la tombe, j'aurais tout aussi bien pu descendre jusqu'au village pour le prévenir. Je regrette de ne pas l'avoir fait, seulement…

Il détourna les yeux quelques instants, le regard perdu dans le vague, revivant la période de sa vie où il s'était soudain retrouvé seul au monde, tel Hamlet avec le fantôme de son père, et où personne, pas même Stavros, n'avait été à l'abri de ses soupçons.

– Je ne pense pas qu'il t'en voudra longtemps, commentai-je.

Je saisis maladroitement une cigarette avec ma main bandée et plâtrée – j'avais un métacarpe cassé et trois fractures des os des doigts. Il se précipita sur son briquet, content de trouver une occasion de me venir en aide.

– Et Dermot s'est chargé du micmac diplomatique que j'ai provoqué – ma mère vous l'a-t-elle dit ? Tout va s'arranger. Ils sont terriblement excités par le trésor ; il paraît que c'est la découverte la plus sensationnelle de ces dernières années. Ils pensent que les reliques datent d'avant la guerre de Troie ; enfin, ils en discutent toujours.

– Et le mérite en reviendra-t-il à Bruce ?

Crispin désirait sans doute ardemment que le nom de son père soit uni à jamais à ce petit village de l'Argolide où il était enterré.

– Oui, ils l'ont promis. Bruce passera à la postérité. Quand on parlera de lui, on l'appellera « Almond de Pirithoön », comme vous l'aviez prédit. Ils ont aussi retrouvé le masque original, dans les bagages de Barclay, à son hôtel.

– Nous devons des excuses à Dermot, non ? J'ai l'impression que notre histoire n'a pas dû beaucoup le surprendre. Son attitude, depuis son arrivée ici, montre clairement qu'il te soupçonnait d'avoir dérobé les bijoux. C'est sans doute la raison de sa venue ici, non pour reprendre ce que tu avais dérobé, mais pour s'assurer que l'or serait rendu en toute sûreté à ses propriétaires sans te causer le moindre ennui. Suis-je dans le juste ?

– Oui. Il dit que j'ai laissé de nombreuses marques de mon passage dans le tombeau. Des empreintes de mains et de pieds dans la poussière, qui identifiaient ma taille ; d'ailleurs, qui d'autre que moi aurait fait ça ? Il n'a parlé de sa découverte à personne, il voulait tirer l'affaire au clair sans faire de vagues. Voilà pourquoi il a écrit et s'est invité aux Lawns dès son retour en Angleterre ; et aussi pourquoi il désirait tant se trouver seul avec moi, seulement vous avez contrecarré ses projets…

– Et pourquoi a-t-il fouillé ta chambre ?

– Oui, là encore, c'était Dermot. Recourir à de tels procédés a dû répugner à la droiture de son caractère, mais il ne voulait pas m'attaquer ouvertement sans preuve.

– Ainsi, David est le seul qui soit venu ici par hasard. C'était un week-end très réussi, n'est-ce pas ?

Son visage grave s'éclaircit un peu.

– Nous en aurons un bien meilleur quand vous serez rentré à la maison !

Étrange comme le mot « maison » revenait souvent, et comme il me faisait chaud au cœur.

– Mais vous devez être terriblement fatigué. Je n'ai pas trop parlé, j'espère ? Est-ce que je peux vous envoyer Stavros quelques instants ? Il part dans un jour ou deux ; il va remettre le trésor à Londres et, aussitôt que l'enquête sera finie, il retournera en Grèce. C'est une sorte d'honneur pour lui, mais il l'a bien mérité. Il aimerait vous parler avant son départ… de moi, j'imagine, dit-il avec un petit sourire forcé. Il va sans doute vous demander de me surveiller de près.

– Appelle-le, dis-je. Je veux serrer la main du seul homme capable de te remettre à ta place.

Il s'éloigna jusqu'à la porte, mais se retourna soudain, s'approcha de mon lit et, me saisissant impulsivement le bras, dit simplement :

– Evelyn…

– Quoi, Evelyn ?

– Rien… Evelyn, je suis content de vous voir en meilleure forme !

Il se reprit et se précipita hors de la chambre. Stavros Diakos entra. Il semblait moins grand et imposant en pleine lumière : c'était juste un homme musclé, à la peau tannée par le soleil, ses yeux noirs aiguisés par l'air lumineux de son pays natal. Ses gestes dans ma chambre de malade étaient précis et délicats. J'avais du mal à croire que ces mêmes mains qui approchaient si doucement une chaise de mon lit avaient tenté de me mettre en pièces quelques nuits auparavant.

– Je vous dois trois pennies cinquante et une drachme, dis-je, ainsi qu'un manteau neuf.

– Et quelques égratignures, ajouta-t-il d'une voix grave et profonde, mais ses traits se détendirent en un sourire.

– Sans oublier la vie de Crispin et la mienne, conclus-je en lui tendant la main.

Il la saisit et sa manche, en se relevant, laissa apparaître la cicatrice familière sur son poignet droit.

– Désolé si je vous ai blessé l'autre nuit. Quand vous m'avez fait tomber du mur, j'ai cru que vous étiez le professeur Barclay. Il était dans le jardin lui aussi ce soir-là ; c'est lui que j'avais suivi.

– Vous l'aviez suivi depuis la Grèce, n'est-ce pas ? Mais comment saviez-vous que c'était lui le meurtrier ? Je me pose la question depuis que je suis cloué ici.

– Grâce au masque qu'il avait renvoyé. Quelques jours après les funérailles, j'ai trouvé le paquet dans les affaires de M. Almond. Je l'ai montré à M. Crane pour savoir ce qu'il fallait en faire. Crane a remarqué tout de suite que ce n'était pas le même objet qu'il avait eu en main précédemment. Mais vous le connaissez… Il ne se serait jamais confié à un contremaître grec. Alors j'ai cogité de mon côté et j'en ai déduit que si l'autre avait été volé, c'est qu'il devait avoir une certaine valeur, malgré tout.

– Vous avez suivi le même raisonnement que Crispin, à propos de l'échange et de la mort de Bruce.

– Oui. M. Almond était mon ami. Et je me suis dit que celui qui avait fait la substitution reviendrait un jour ou l'autre pour examiner lui même le tombeau. De fait, dès que l'équipe de Bruce a quitté le site, Barclay est revenu. J'ai vu sa voiture cachée derrière la citadelle. Au début, je n'arrivais pas à croire que ce puisse être le professeur Barclay. Alors j'ai suggéré à Crane d'examiner le tombeau pour s'assurer qu'il ne contenait aucun objet de valeur. Il n'était pas nécessaire d'emmener des ouvriers avec nous ; nous pouvions faire seuls cette exploration.

– Et la tombe était vide, bien sûr.

– Il ne restait plus que quelques poteries, mais M. Crane s'est vite rendu compte, avec toutes ces dépouilles, que le tombeau devait avoir contenu de grandes richesses. J'étais sûr que c'était Barclay qui s'en était emparé… enfin, presque sûr, corrigea-t-il avec un sourire.

– Avez-vous partagé vos conclusions avec Dermot Crane ?

– Non. J'étais moins proche de lui que de M. Almond, et j'ai hésité à accuser un homme aussi éminent que le professeur Barclay sans aucune preuve. Avant de pouvoir faire part de mes suspicions à quiconque, il fallait que je remette la main sur le vrai masque. Alors j'ai postulé pour rejoindre l'équipe de Barclay à Athènes en demandant à Crane de m'appuyer. Le professeur était sur le point de rentrer à Londres en emmenant pas mal de matériel. J'ai une bonne réputation dans le milieu des archéologues, aussi ai-je obtenu sans trop de mal de m'occuper du transport de ces pièces. Je lui ai dit que je souhaitais travailler avec lui, et c'était la vérité, bien que je lui aie caché mes véritables motivations.

– C'est comme ça que vous êtes venu en Angleterre. Et comment avez-vous trouvé le masque ?

– Il le gardait toujours avec lui, dans une mallette fermée, mais je l'ai aperçu une fois. Et j'ai su alors que Barclay était bien le meurtrier de Bruce. Quant à l'autre masque, je l'avais rapporté avec moi. Il n'avait aucune valeur et M. Crane me l'avait donné quand je le lui avais demandé. Je voulais m'en servir pour le confondre, une fois que j'aurais remis la main sur le reste de l'or. Seulement, j'étais persuadé que c'était Barclay qui détenait le trésor.

« Nous avons livré le matériel archéologique au British Museum et j'étais ensuite censé rentrer en Grèce. Mais je suis resté à Londres pour surveiller le professeur jusqu'à ce qu'il me conduise à sa cachette. C'est pourquoi je l'ai suivi jusqu'à Chilcot Mendip, sans comprendre ce qu'il mijotait ; je suis descendu dans un petit hôtel et j'ai continué à le surveiller étroitement ; Barclay m'a conduit jusqu'à la maison de M. Almond. J'ignorais d'ailleurs que c'était la sienne, jusqu'à ce que j'aperçoive Crispin par la fenêtre ; j'en ai été tellement surpris que j'ai perdu de vue Barclay. À ce moment, quand vous m'êtes arrivé dessus... eh bien, j'ai cru que c'était lui !

– Et vous nous avez suivis la nuit d'après ?

– C'est tout ce que je pouvais faire. Je ne comprenais plus rien à ce qu'il se passait. Je ne savais pas ce qu'il venait faire ici, ni ce qu'il voulait à Crispin, mais je savais que c'était un assassin et qu'il était dangereux. Je vous ai suivis jusqu'à la colline, mais je vous ai perdus. J'imagine que Crispin, lui, connaissait l'entrée de la caverne, et que vous vous êtes assuré que Barclay la trouve. Mais pour ma part, j'ignorais même qu'il y avait des grottes à cet endroit. Pour moi, vous vous étiez tout simplement évaporés dans la nature. J'ai perdu pas mal de temps à fouiller la colline, arbre après arbre, rocher après rocher.

Je frissonnai en pensant qu'il aurait pu laisser tomber à tout moment, nous condamnant à notre sort avec Barclay.

– Et qu'est-ce qui vous a permis de découvrir l'entrée ?

– Un coup de feu... le deuxième, d'après Crispin, celui qui a fait sauter le coffre. J'étais assez proche de l'entrée pour l'entendre. L'écho s'en est répercuté jusqu'à la galerie supérieure. J'ai eu l'impression qu'il avait été tiré juste sous mes pieds. C'est là que j'ai compris où vous étiez : sous terre. Et quand on sait ce qu'on doit chercher, on le trouve plus facilement...

– On peut dire que vous êtes tombé à pic, dis-je. Quand vous avez jeté ce masque, j'ai cru à un véritable miracle. Vous allez rentrer chez vous auréolé de la gloire du trésor de Pirithoön. Le fantôme de Bruce Almond doit être satisfait.

– C'était un ami, dit-il, et un homme bon. Je suis heureux qu'il connaisse enfin son heure de gloire, même après sa mort. Et son fils est un bon garçon, lui aussi.

Il attendit que je parle, mais je gardai le silence.

– Il sera entre de bonnes mains avec vous, reprit-il. J'en suis content.

Avec moi. Après que le visage intransigeant de l'infirmière l'eut chassé à son tour de la chambre, je continuai à tourner cette remarque dans ma tête. Je n'avais plus rien à faire dans la vie de Crispin à présent ; il n'avait plus besoin de précepteur : il allait reprendre l'existence d'un adolescent normal, se consacrer à ses études et remplir le vide laissé par sa vengeance par toutes sortes d'activités.

Mais avant de disparaître, ne me restait-il pas un détail à régler, une ombre à dissiper ? Dermot et David étaient blanchis de toute complicité dans le meurtre de Bruce, et Dorothy était aussi innocente qu'eux, mais ce « cher D. » entachait toujours l'esprit de Crispin.

On me transporta aux Lawns après une semaine de soins, et quoique j'aie fait le voyage en ambulance, on m'autorisa quand même à marcher jusqu'à la voiture, car les os de ma jambe étaient intacts, et la blessure se cicatrisait remarquablement bien. Une constitution de cheval, m'avait-on dit, avec un manque d'originalité assez décevant.

Après le dîner que Dorothy m'apporta au lit, Dermot, à ma demande, monta me voir. Quand nous eûmes épuisé tous les sujets de circonstance, je le priai d'aller à la chambre de Crispin et d'en rapporter les *Choéphores*. Je fis tomber le billet serré entre les pages, le dépliai et le lui tendis.

– Croyez bien que j'ai de bonnes raisons pour vous poser cette question : reconnaissez-vous ceci ? Vous était-il destiné ?

Il regarda le billet avec une patience tolérante, leva les sourcils et me répondit calmement. Les invalides de marque ont de ces privilèges…

– Oui, c'était à moi. Comment est-il arrivé là ?

– Dorothy l'a-t-elle écrit ?

Il me soupesa du regard, mais acquiesça froidement.

– Vous vous écriviez régulièrement lorsque vous étiez à Pirithoön et elle à Athènes ?

Oui. Y voyez-vous des objections ?

– Cela vous dérangerait-il de me parler de cette correspondance ? C'est très important ; sinon je ne vous le demanderais pas.

– C'est fort simple. Dorothy s'est rendue en Grèce pour Crispin. Elle y avait résisté le plus longtemps possible, mais la vérité est que Dorothy mourait d'envie de ravoir Crispin auprès d'elle. Je la connaissais depuis des années ; j'avais sa confiance et je savais combien elle souffrait de cette séparation. C'était son enfant ; elle ne le connaissait même pas et craignait qu'il ne la considère en ennemie. Elle est venue en Grèce uniquement pour se rapprocher de lui, mais cela ne pouvait se faire ouvertement. Elle estimait avoir accepté trop facilement cette séparation et se sentait coupable envers Crispin. J'avais pris l'habitude de lui envoyer de ses nouvelles, parfois même des photos. (Dermot laissa tomber le papier sur le lit.) Le « il » qui ne devait pas savoir qu'elle était en Grèce, c'était donc Crispin lui-même. Quant au mot tronqué, si cela peut vous intéresser aussi, c'était « régulièrement » ; si je me rappelle bien, « régulièrement des nouvelles de mon fils ».

Je me sentis affreusement humilié, comme si j'avais été le seul à l'avoir mal jugée. Je la revis la nuit, appuyée à la porte de Crispin, désespérée dans son affection, et mon cœur se serra de la même tendresse pour elle que celle qu'elle éprouvait pour son fils.

– Voulez-vous aussi m'excuser pour cette dernière question ? Êtes-vous amoureux d'elle ? J'irai même plus loin : est-elle…

Dermot rit.

– Non, rien de tel. (Il parut tout à coup comprendre.) Nous sommes de très vieux amis, mais rien de plus. La place est libre, mon vieux.

Rien n'était moins certain en mon esprit ; même s'il y avait de la place, je ne comptais pas, mais je ne crus pas nécessaire de le lui dire. La sollicitude et la grande affection de Dorothy allaient à l'ami et allié de Crispin, ou peut-être un peu au garçon qui avait jadis habité près de chez elle, et qu'elle considérait comme un frère, mais, j'en étais certain, pas à Evelyn Manville en tant qu'homme et mari potentiel.

– Puis-je vous demander de dénicher ce sale gosse et lui faire comprendre que je voudrais le voir ?

Dermot m'envoya Crispin cinq minutes plus tard. Il entra dans la chambre avec deux verres de sherry, s'assit au bord de mon lit et m'en tendit un. Il ne s'était pas encore tout à fait remis du choc, et j'étais convaincu que ce n'était pas seulement une quelconque réaction à son effrayante expérience qui avait laissé cette pâleur sur son visage. Je suppose que cela prend du temps de s'accoutumer à être encore en vie, et encore plus de s'habituer de nouveau à une existence banale et coutumière après s'être voué à une vengeance qui pouvait détruire aussi certainement le vengeur que l'ennemi.

Il m'adressa un gentil sourire par-dessus son verre.

– À votre bon rétablissement !

J'ouvris sans un mot les *Choéphores* sur le couvre-lit qui nous séparait, dépliai le petit morceau de papier et le lui montrai. Son visage se figea. Il pâlit et se détourna de mon regard, fixant la seule chose qui troublait encore la paix de son esprit.

– Où l'as-tu trouvé ? demandai-je d'un ton encourageant.

Il me répondit d'une voix presque inaudible.

– Dans un livre qui traînait dans le bureau de Pirithoön, juste après la découverte du faux masque. J'ignore quel lecteur l'avait laissé…

– Mais tu savais que ce mot était de ta mère ?

– Mon père gardait toutes ses lettres. Je les avais vues trop souvent pour ne pas reconnaître son écriture.

« Mon père »… Il était redevenu cérémonieux. Les droits et les titres de Bruce, ainsi que les offenses qu'il avait subies, tout était contenu dans ce terme plein de dignité.

– Je vois. Veux-tu connaître exactement la signification de cette lettre et savoir à qui elle était destinée ? À Dermot. Et il se sentait, avec raison, si peu coupable qu'il l'avait utilisée comme signet et laissée à portée de tous… C'était un peu imprudent de sa part, car il risquait de dévoiler le secret que ta mère lui avait demandé de garder ; mais il devait considérer qu'elle en faisait un peu trop, tu comprends. Ils étaient de vieux amis, et quand Dermot est parti pour Pirithoön avec ton père et toi, ta mère lui a demandé de lui envoyer des nouvelles… de toi.

Il resta silencieux, les yeux fermés, avalant sa honte.

– Elle est venue à Athènes parce que c'était là qu'elle pouvait être le plus près de toi. Elle a supplié Dermot de ne pas te révéler sa présence, estimant n'avoir aucun droit sur toi et ne pas devoir te troubler. Ce qui avait surtout de l'importance à ses yeux, c'était de savoir que Dermot était à tes côtés et que, par son intermédiaire, elle pouvait recevoir régulièrement de tes nouvelles et des photos de temps à autre : quelques miettes, tout ce qu'elle estimait avoir le droit de recevoir. Voilà ce que représentaient pour elle ses relations avec Dermot ; et voilà pourquoi il a été à même de la prévenir dès que la mort de Bruce a été découverte.

Je tendis la main pour lui prendre son verre de sherry, que je déposai sur la table à côté du lit, tant il tremblait. Mon attaque directe l'avait laissé sans défense. Il était pitoyable dans son dénuement, il ne pouvait même plus prétendre, pour lui ou pour moi, qu'il avait encore un secret. J'avais trop bien exposé ma connaissance des faits, mettant à nu son cœur et son esprit, et faisant apparaître de manière éclatante les soupçons de culpabilité qu'il avait entretenus à l'égard de Dorothy.

– Crispin, je connais ta mère depuis notre enfance. De sa vie, elle n'a jamais commis d'actes sournois ou cruels et elle est aussi pauvre menteuse que toi. Durant toutes les années qu'elle a passées avec Bruce, elle ne lui a jamais été infidèle, même pas quand elle affirmait l'avoir été. Ç'a été un mauvais calcul de sa nature généreuse ; peut-être s'est-elle conduite d'une manière insensée ; mais qui ne le fait pas tôt ou tard ? Même toi, quelquefois !

J'avais espéré pouvoir lui faire franchir ce cap difficile sans trop de peine, mais le fardeau était trop lourd pour lui. Cette hostilité, qu'il avait entretenue implacablement contre elle trois mois durant, gisait pantelante entre nous, comme une effusion de sang ou un cri de douleur. Pour la première fois, il la voyait objectivement, comme un cauchemar, comme une monstruosité. Il restait assis sans force, malade de honte de la voir exposée et de savoir qu'elle était injustifiée. Il se cacha soudain le visage des deux mains. À travers ses paupières étroitement fermées et comprimées par ses doigts, les larmes coulèrent tout d'abord contenues, puis il éclata en sanglots. Il serrait fortement ses tempes et ses joues, tâchant de contenir ce chagrin aussi impétueux qu'un torrent au dégel, essayant de retrouver son calme, alors que des hoquets convulsifs le secouaient.

J'aurais dû me montrer humain et regarder dans une autre direction, me rappeler soudain que j'avais quelque chose à faire ailleurs. Heureusement, la façon dont j'étais emballé dans ce lit m'empêchait de me conduire en gentleman. Dans tous les cas, j'étais la victime… S'il devait me haïr pour toujours d'avoir été témoin de ce déluge que j'avais provoqué, je pourrais toujours m'éloigner et cesser de l'offenser. Ma mission était terminée ; aussi, plutôt que de parler en vain, je me redressai et l'attirai fermement dans mes bras.

Il se laissa surtout entraîner par mon geste, car il était, je pense, à bout de résistance. Après un moment, je le sentis écarter les mains de sa figure et m'agripper fermement par la veste de mon pyjama. Son nez était enfoui dans mon épaule ; la tension de son corps s'amollit, et il s'abandonna dans mes bras, reconnaissant et pleurant à chaudes larmes. Je tapotai ses épaules agitées de soubresauts et murmurai un flot de paroles apaisantes à son oreille. Dans son état, les paroles importaient peu, seule la musique comptait.

Les *Choéphores* glissèrent du lit et se fermèrent avec un « plop » sur la destinée monstrueuse d'Oreste et la mort de Clytemnestre, sur l'épouvantable fardeau du devoir filial et le chœur hurlant des Furies. Crispin ne comprit pas que la chute de ce livre était comme un symbole : un chapitre de sa vie venait de se terminer. Follement reconnaissant d'être débarrassé de ses soupçons, affreusement honteux de les avoir eus et plus encore que je les aie surpris, il se sentait incapable de se racheter et s'accrochait à moi, pleurant toutes les larmes de son corps, s'abandonnant dans mes bras comme un petit enfant qui cherche la consolation de ses peines.

Après un moment, quand le flot de larmes eut cessé et que les sanglots ne le paralysèrent plus, il détacha une de ses mains et fouilla dans ses poches. Je lui tendis un grand mouchoir propre qu'il fit disparaître en murmurant un remerciement.

– Désolé, Evelyn, vraiment désolé ! Quelle stupide exhibition ! parvint-il à croasser d'une voix faible et brisée après avoir dégagé sa tête de mon épaule.

– Bon, bon ! Ça suffit !

– Oh ! Evelyn, j'ai tellement honte !

– Ne sois pas stupide, il n'y a rien au monde dont tu doives avoir honte. Réjouis-toi plutôt. Ce que tu pensais était tout naturel ; mais remercie Dieu que ce ne soit pas vrai. Et maintenant, c'est fini, nous en sommes tous sortis sains et saufs et nous pouvons repartir de zéro. Pourquoi encore pleurer ?

– Evelyn, vous ne pouvez savoir ce que j'ai fait ! Elle était si adorable et si gentille…

– Je sais, tu dois toujours avoir eu envie de l'aimer, et pourtant tu t'efforçais de la haïr.

Il acquiesça avec véhémence, sans lever la tête.

– Eh bien, maintenant, rien ne t'empêche plus de l'aimer. Elle t'aime, tu sais ; elle t'aime beaucoup.

– Elle me haïra quand elle saura ce que j'ai pensé d'elle, gémit-il, misérable, pleurant de nouveau, à chaudes larmes.

– Elle ne le saura pas. À part toi et moi, personne ne doit le savoir, et après ce soir nous l'oublierons nous aussi.

– Mais, Evelyn, protesta-t-il d'un air malheureux, je devrai tout lui dire. J'ai été si méchant envers elle. Ce ne serait pas honnête ; elle a le droit de tout savoir.

– Essaie voir, dis-je finement, et tu verras ce que tu récolteras ! Tout lui raconter ; vraiment ! Quoi ! Se décharger de toutes ces choses sur elle, uniquement parce que tes épaules ne sont pas assez solides ? Non, tu dois apprendre à vivre avec tes erreurs et tes échecs, tout comme les autres. Il faut savoir oublier ses fautes ! Quand tu auras fait autant de gaffes dans ta vie que moi dans la mienne, tu parviendras facilement à te faire une raison. Qu'est-ce qui te tourmente ? Tu auras toute une vie pour te racheter aux yeux de ta mère.

– Oui, après tout, vous avez raison, dit-il, plein d'espoir.

C'était à ce moment un garçon semblable aux autres que je tenais dans mes bras. Il se leva, se sécha les yeux et se moucha vigoureusement. Quand je lui rendis son verre, ses yeux gonflés par les larmes me sourirent.

– D'accord, je bois à notre avenir, dit-il en levant son verre.

Je le gardai près de moi le restant de la soirée, car manifestement il ne voulait pas montrer aux autres les ravages de son visage. Nous fîmes une partie d'échecs, qu'il gagna, et lorsqu'il me souhaita la bonne nuit, il était aussi serein qu'un ciel sans nuages. Après s'être libéré à ce point, il allait dormir comme jamais il ne l'avait fait auparavant et se lever sur un monde remis à neuf, débarrassé de ce qui le tourmentait. Une page vierge s'offrait à lui…

Aux environs de 23 heures, Dorothy frappa à ma porte ; elle portait une robe de chambre de velours, ses cheveux noirs dénoués tombaient sur ses épaules. Même au moment d'aller se coucher, elle conservait son allure fière et racée. Elle allait trouver un Crispin beaucoup moins compliqué qu'il ne lui avait paru jusqu'à présent, et son retour à un comportement de son âge l'intriguerait certainement. Personne ne pouvait remplacer les quinze années de vie commune et de tendresse réciproque qui leur avaient été volées.

– Écoute, Dorothy ! dis-je, soudain inspiré. Tu sais ce qui ne tourne pas rond entre Crispin et toi ? Tu as peur de lui ! Tu es tellement convaincue de lui avoir fait du tort que tu te conduis comme une mendiante. Une telle attitude gênerait n'importe quel garçon. Tu ne sais pas comment le prendre ; tu ne crois pas qu'il éprouve les mêmes difficultés avec toi ? Quelquefois, il se conduit comme un adulte, mais il n'en est pas un ; ce n'est pas un enfant non plus, il est à l'âge ingrat… Si tu ne l'aides pas, il n'aura jamais d'élan vers toi.

– Evelyn, tu sais que je ferais n'importe quoi ! Que me conseilles-tu ? Tu es le seul à avoir gagné sa confiance ; dis-moi ce que je dois faire.

– C'est facile ! Va tout de suite dans sa chambre, telle que tu es, prends-le dans tes bras et embrasse-le. Ne le fais pas comme si tu t'excusais de quelque chose !

– C'est de la folie ! Il est au lit depuis une heure et doit dormir à poings fermés.

– C'est encore mieux ! Réveille-le ! Tu le surprendras dans son sommeil sans qu'il ait eu le temps de se composer une attitude.

Elle me regarda d'un petit air malheureux, et un faible espoir amena un sourire sur ses lèvres.

– Tu le penses sérieusement ?

– Je n'ai jamais été plus sérieux de ma vie !

Elle devait avoir été malheureuse, ou s'accrocher désespérément à mon jugement, car elle y alla. À son retour, elle marchait comme dans un rêve. Ses doigts caressaient sa joue, là où il avait déposé son dernier baiser plein de ferveur et de regrets ; ses yeux étincelaient d'une joie si débordante qu'elle aurait pu paraître drôle, si elle n'avait été si touchante.

Elle vint s'asseoir sur le lit et me fixa sans rien dire.

– Eh bien ! avais-je raison ?

– Evelyn, comment le savais-tu ? Les choses se seraient-elles passées de cette façon si je m'étais conduite ainsi dès les tout premiers jours ? Est-ce cela qu'il désirait ?

Heureusement, elle n'attendait aucune réponse, elle prenait plaisir aux questions qu'elle posait, et je n'avais aucun mensonge à lui faire.

– Il a ouvert les yeux, m'a souri et m'a dit « Maman » ! Ensuite, il a sorti les bras de dessous les couvertures et m'a presque étranglée. Il m'a embrassée trois fois et m'a serrée à m'étouffer. Il ressemblait à un agneau, Evelyn, tout chaud, si doux et rouge de sommeil. Je n'ai jamais été aussi heureuse !

– N'espère pas qu'il sera comme ça tout le temps, dis-je avec hâte. Et ne va pas t'imaginer que tu as fait une erreur tragique ; la prochaine fois, ton agneau se conduira comme un sacripant… Suis simplement ton instinct maternel et frotte-lui les oreilles quelquefois, tu ne te tromperas pas beaucoup. Il ne discutera pas tes décisions.

Dorothy tapota mon oreiller sans aucune nécessité et me sourit, les yeux embués de larmes de bonheur.

– Evelyn, tu aimes beaucoup Crispin, n'est-ce pas ?

C'était une question à laquelle ni Dorothy ni personne d'autre ne devait recevoir de réponse sincère.

– Ce n'est pas un mauvais garçon, dis-je avec prudence.

– Il s'est terriblement attaché à toi, Evelyn… il a encore besoin de toi. Tu ne partiras pas, n'est-ce pas ? Cet enfant a besoin de compagnie masculine. Je l'adore, et il arrivera peut-être avec le temps à m'aimer un peu. Mais il a besoin d'un père…

Je n'avais pas eu cette idée. Elle non plus, sans doute, jusqu'à ce que le mot « père » lui eût échappé des lèvres, nous ouvrant les yeux à tous les deux. Elle courba la tête, et ses cheveux glissèrent sur moi comme de la soie noire, fraîche et brillante. Sous leur ombre, j'entendis un rire léger, amer, très proche des larmes.

– Oh ! Evelyn, ce n'est pas uniquement à cause de Crispin, mais à nous deux, nous pourrions si bien nous occuper de lui… C'est mon tour maintenant : Veux-tu m'épouser, Evelyn ?

– Quoi, « après notre dernier fiasco » ?

Mais je ne pense pas qu'elle ait reconnu ses propres paroles, ni même qu'elle m'ait écouté. J'ouvris les bras, et elle s'y glissa aussi naturellement que si nous avions encore vingt ans, comme si nous étions des connaissances de fraîche date au lieu de vieux amis qui avaient vécu ensemble tant d'années… Je ne pouvais pas le croire. C'était ainsi que cela aurait dû être depuis le début, car nous n'avions qu'un pas à faire pour tomber dans les bras l'un de l'autre, mais les choses ne s'étaient pas faites : nous avions vécu comme frère et sœur trop longtemps pour nous voir différemment. J'embrassai sa joue, et elle tourna la tête sur mon épaule pour m'offrir ses lèvres.

– Ça n'a pas été un fiasco complet, dit-elle – et je compris qu'elle pensait à Crispin. Veux-tu, Evelyn ?

– Je suis fauché et sans travail. Mais je t'aime, t'ai toujours aimée et t'aimerai toujours. Alors si ton offre tient compte de ces circonstances, je t'épouserai avec joie et je me chercherai une situation après.

Elle rit et son visage fut inondé de larmes de joie. Quand elle se dégagea enfin de mes bras, elle tapota tendrement la veste de mon pyjama.

– Je suis désolée, chéri, j'ai mouillé ton épaule.

Il n'y avait pas qu'elle, mais je ne le lui dis pas. Il y a encore des choses que je garde pour moi, et même certaines qu'elle ne découvrira jamais, je l'espère. Il n'y a pas un atome de vanité en Dorothy ; mais après tout, si adorable soit-elle, c'est une femme. Je n'aimerais pas qu'elle soupçonne que je l'ai épousée presque autant pour son fils que pour elle-même.

À propos d'Ellis Peters…

Lorsqu'elle devient célèbre grâce aux enquêtes de frère Cadfael, un moine bénédictin capable de résoudre au XII° siècle les plus troublants mystères, Ellis Peters a déjà derrière elle une longue carrière de romancière et plusieurs dizaines de livres publiés. Née Edith Mary Pargeter le 28 septembre 1913 à Horsehay dans le Shropshire, cette citoyenne britannique travaille encore comme préparatrice en pharmacie lorsqu'elle publie, à partir de 1936, ses premiers romans, soit sous son patronyme, soit en usant de pseudonymes comme Peter Benedict, Jolyon Carr ou John Redfern.

Durant la Seconde Guerre mondiale, elle s'engage dans les WRVS (*Women's Royal Voluntary Service*) et sert comme auxiliaire dans la marine, une expérience qui nourrira son inspiration pour plusieurs de ses ouvrages. Après la guerre, elle devient écrivain professionnel. Elle publie une satire contre le service militaire, puis, à partir de 1960, une trilogie moyenâgeuse. Quelques années auparavant, tombée amoureuse de la Tchécoslovaquie, elle apprend la langue de ce pays, puis de retour en Angleterre se met à traduire, à partir de 1957, un certain nombre d'écrivains tchèques inconnus des Anglais (Jan Neruda, Bohumil Hrabal, Vladislav Vancura, Ivan Klíma…). Cette activité lui vaudra d'être décorée en 1968 de la médaille d'or de la Société tchèque pour les relations internationales.

Au cœur de son œuvre littéraire, la part qu'Ellis Peters a consacrée au roman policier est importante et se chiffre à une quarantaine de volumes dont les premiers, *Murder in the Dispensary* (1938) et *Death Comes by Post* (1940), signés Jolyon Carr, ainsi que *The Victim Needs a Nurse* (1940), publié sous le pseudonyme de John Redfern, restent toujours inédits en France. Onze ans plus tard, elle utilise pour la première fois le pseudonyme d'Ellis Peters pour signer *Pris au piège* (1951), où apparaît l'inspecteur George Felse, protagoniste d'une série d'enquêtes classiques au cours desquelles il partage la vedette avec sa femme ou son fils Dominic. Les membres de la famille Felse vieillissent au fil des divers épisodes (douze au total), ce qui confère à l'ensemble cette dimension de saga si chère à la romancière.

Publié en 1959, *Le Masque de mort*, qui n'appartient pas à ce cycle, relève de l'énigme classique et ne met pas en scène de héros récurrent. L'intrigue se rapproche en effet du « mystère en chambre close » : plusieurs suspects sont réunis dans une maison et les héros attendent le moment où le coupable se trahira. Mais l'un de ses intérêts est de manifester déjà le goût prononcé de la romancière pour l'Histoire, qui fera son succès une vingtaine d'années plus tard : les descriptions du milieu de l'archéologie, la référence aux textes classiques (*L'Orestie* d'Eschyle joue un rôle déterminant), en l'occurrence de la Grèce antique, et les motivations des personnages, qui sont mus bien plus par la passion et l'excitation de la découverte

que par l'appât du gain – le « trésor » fût-il en or –
sont révélatrices de ses centres d'intérêt.

Ce texte a été traduit en 1967 aux éditions Dupuis
(collection « Mi-nuit »), dans une adaptation malheureusement tronquée qui réaménageait plusieurs éléments de l'intrigue : le professeur John Barclay
n'apparaissait ainsi que dans la scène finale, de façon
quelque peu incongrue. Nous avons dans la présente
édition rétabli la traduction intégrale.

Une fois presque achevée sa série consacrée à
l'inspecteur Felse, Ellis Peters, loin de se reposer sur
ses lauriers, se lance dans la rédaction d'un autre
cycle, historique cette fois, et crée pour l'occasion le
« roman d'énigme médiéval » qui, en mêlant harmo-
nieusement le mystère avec l'Histoire, va ouvrir la
voie à des dizaines d'épigones. Cette série débute
avec *Trafic de reliques* (1977), qui se déroule en l'an
1138. Elle a pour cadre les environs de l'abbaye de
Shrewsbury où s'est retiré le moine d'origine galloise
frère Cadfael. Entré à l'abbaye en 1120, à quarante
ans, ce bon moine possède un solide passé derrière
lui : il a connu les guerres, a participé aux croisades
aux côtés de Godefroy de Bouillon, a été soldat et
marchand ; bref, il a traîné un peu partout, ayant
même eu un enfant avec une belle Sarrasine ! Devenu
herboriste, il soigne autant les blessures du corps que
celles de l'âme et n'a pas son pareil pour dénouer les
intrigues les plus compliquées grâce à ses dons
d'observation, de déduction et d'extrapolation. Le
premier épisode dans lequel il apparaît trouve place
entre l'abbaye et le village, dépositaire des restes
d'une sainte décapitée par un prince païen. Ce récit a
été inspiré à la romancière par la lecture d'une
« monumentale histoire du Shropshire, rédigée au
début du XIXe siècle par deux ecclésiastiques ». La

chronologie de cette série s'inscrit dans une période déterminée qui commence en mai 1138 *(Trafic de reliques)* pour s'achever en novembre 1145 *(Frère Cadfael fait pénitence)*. Un recueil de trois nouvelles *(Un bénédictin pas ordinaire)* raconte le passé de Cadfael en situant l'action antérieurement au cycle (novembre 1120 et Noël 1135).

Le succès de ce personnage (qui deviendra héros de téléfilms britanniques) prendra des proportions phénoménales. La série, traduite dans de nombreux pays, sera découverte en France, mais seulement à partir de 1988, grâce aux éditions 10/18. À propos du cycle Cadfael, le romancier et critique Michel Amelin estime que ces récits « devraient être qualifiés de thrillers moraux en ce qu'ils racontent la grande bataille entre le Bien et le Mal ». Ellis Peters, disparue le 15 octobre 1995, tenait un discours similaire en affirmant que le thriller « doit avoir une moralité ». C'est certainement la raison pour laquelle elle s'est davantage intéressée aux personnages qui incarnaient les « bons » qu'aux « méchants ».

CLAUDE MESPLÈDE

Impression réalisée sur Presse Offset par

BRODARD & TAUPIN

GROUPE CPI

La Flèche (Sarthe), 24534
N° d'édition : 3618
Dépôt légal : juillet 2004

Imprimé en France